GARY CHAPMAN
PAUL WHITE
HAROLD MYRA

NÃO AGUENTO MEU EMPREGO

COMO VIVER BEM NUM AMBIENTE DE TRABALHO QUE FAZ MAL

Traduzido por
CECÍLIA ELLER NASCIMENTO

Publicado originalmente por Northfield Publishing, Chicago, Illinois, EUA.

Os textos das referências bíblicas foram extraídos da *Nova Versão Internacional* (NVI), da Biblica, Inc., salvo indicação específica.

CIP-Brasil. Catalogação na Publicação
Sindicato Nacional dos Editores de Livros, RJ

C432n

Chapman, Gary
Não aguento meu emprego : como viver bem num ambiente de trabalho que faz mal / Gary Chapman, Paul White, Harold Myra ; tradução Cecília Eller. - 1. ed. - São Paulo : Mundo Cristão, 2016.
160 p. ; 21 cm

Tradução de: Rising above a toxic workplace: taking care of yourself in an unhealthy environment

1. Trabalho. 2. Ambiente de trabalho. 3. Vida cristã. I. White, Paul. II. Myra, Harold. III. Eller, Cecília. IV. Título.

15-29141 CDD: 306.36
CDU: 316.334.22

Categoria: Autoajuda

Publicado no Brasil com todos os direitos reservados por:
Editora Mundo Cristão
Rua Antônio Carlos Tacconi, 79, São Paulo, SP, Brasil, CEP 04810-020
Telefone: (11) 2127-4147
www.mundocristao.com.br

1ª edição: maio de 2016

SUMÁRIO

AGRADECIMENTOS

Somos gratos aos muitos líderes e funcionários que dedicaram tempo para nos contar suas histórias. Os *insights* e a honestidade deles nos informaram e inspiraram.

Também agradecemos à nossa equipe editorial — em especial a John Hinkley, Zack Williamson e Betsey Newenhuyse — pelo compromisso com este projeto, por todo o zelo e criatividade a fim de que esta obra se tornasse realidade.

INTRODUÇÃO

Conflito, mágoa e raiva, problemas de comunicação, falta de reconhecimento — há décadas tento ajudar homens e mulheres a lidarem com essas questões dentro do casamento. Atualmente, muitas pessoas vivenciam essas mesmas dores no trabalho. Alguns anos atrás, o dr. Paul White e eu nos unimos para escrever *As cinco linguagens da valorização pessoal no ambiente de trabalho*. Ficamos muito empolgados com a resposta positiva ao livro e descobrimos que o clima emocional nas relações profissionais melhora bastante quando as pessoas descobrem a principal linguagem de valorização de seus colegas de trabalho. No entanto, Paul conduziu projetos-piloto antes de escrever aquele livro e, desde a publicação da obra, realizou consultorias em uma ampla gama de empresas, o que revelou disfunções destrutivas em muitas dessas instituições.

Inúmeros funcionários sofrem em locais de trabalho tóxicos, e talvez você seja um deles. Se não é o caso, é possível que tenha amigos ou familiares que trabalhem nesses ambientes prejudiciais. Quando decidi me unir ao dr. White e a Harold Myra, que também tem décadas de experiência no mundo dos negócios, ficamos surpresos com a quantidade de histórias que ouvimos, ao longo dos anos, de maus-tratos a funcionários. Meu palpite é que, se você conversar com seus amigos sobre o assunto, descobrirá que muitos deles também têm uma experiência pessoal de trabalho em uma cultura nociva.

Um dos relatos mais dolorosos que ouvi veio de um amigo que por dezoito anos vinha lecionando matemática em escolas públicas. Ele tinha um histórico brilhante de transformar crianças com problemas de aprendizagem em alunos acima da média. Investia horas de trabalho voluntário dando aulas de reforço aos estudantes após o horário escolar. Os outros professores o admiravam. Tudo ia bem até chegar um novo diretor que começou a encontrar defeitos nele. Sua sala era desorganizada, e sua escrivaninha, bagunçada com pilhas de papel. O diretor lhe deu 24 horas para organizar a sala e a escrivaninha. Disse que havia recebido reclamações dos pais sobre seus métodos de ensino. Contudo, quando o professor perguntava quais eram as reclamações e que pais as haviam feito, recebia silêncio em resposta. Dia após dia, o diretor assediava verbalmente o professor, entrando na sala dele, olhando em volta, virando as costas e saindo. Mais de uma vez, disse: "Você não tem futuro nesta escola".

Esse professor se sentou em meu consultório e expressou a profunda frustração que sentia, causada pela intromissão do diretor em seus esforços de ajudar os alunos. "Tudo o que eu sempre quis fazer", disse ele, "foi ajudar essas crianças a serem bem-sucedidas. Dediquei minha vida aos alunos, e agora esse diretor a está transformando em um tormento." Esse assédio emocional prosseguiu por três anos, até o diretor ser transferido para outra escola e a vida do professor voltar ao normal. Os outros docentes apoiaram o colega e disseram: "Ficamos muito felizes por você ter aguentado firme. As crianças precisam muito de você!". Às vezes eu me pergunto qual teria sido o desfecho caso o diretor não tivesse sido transferido.

A maioria de nós passa boa parte da vida no trabalho e, para muitos, é difícil sair para a labuta diária. Nosso desejo com este livro é ajudar aqueles que precisam lidar com chefes tóxicos e os que estão presos em organizações venenosas; para isso, oferecemos ideias, incentivos e estratégias de sobrevivência. Apresentamos experiências reais a fim de expor o que acontece por aí, mostrando o que alguns fizeram para lidar com o problema e como outros encontraram formas de sair do emprego e seguir em frente.

Ao mesmo tempo, reconhecemos que existem muitos locais de trabalho saudáveis, com ótimos líderes. De fato, trabalhamos com muitos deles. Dedicamos um capítulo inteiro a essas organizações e traçamos o perfil de alguns chefes excelentes que foram descritos nas entrevistas que fizemos.

Os locais de trabalho saudáveis se desenvolvem por meio de um alto índice de respeito mútuo e sensibilidade ao próximo. Esses ambientes se formam quando funcionários e administradores aprendem a valorizar características pessoais positivas e a confrontar uns aos outros com gentileza, a fim de elevar a qualidade do trabalho que está sendo realizado. Todos temos a necessidade emocional de nos sentirmos reconhecidos por aqueles com quem trabalhamos. A maioria está disposta a admitir suas imperfeições e a concordar que sempre é possível melhorar. Temos disposição para nos aprimorar se aqueles que nos supervisionam estiverem dispostos a mostrar um caminho que nos tornará mais eficientes.

Se você trabalha em um local tóxico ou tem um amigo nessa situação, esperamos que este livro o ajude a analisar suas opções e a encontrar alívio da pressão intensa de ter de trabalhar para uma organização ou um chefe que desvaloriza as pessoas e enxerga apenas os resultados. Embora creiamos que o lucro seja necessário para uma empresa sobreviver, essa não deve ser a única preocupação dos executivos. De modo geral, unir-se às pessoas no ponto em que elas estão e ajudá-las a desenvolver seu potencial gera maior satisfação profissional e melhores rendimentos financeiros.

Trabalhar em um ambiente tóxico dia após dia pode ser uma experiência extremamente desanimadora e esgotante. Esperamos que as ideias e histórias reais aqui apresentadas ajudem você, ou alguém com quem você se importa, a prosperar em meio aos desafios atuais do mercado de trabalho.

Gary Chapman

Vida é 10% o que acontece comigo
e 90% como eu reajo a isso.
John Maxwell

Junto de cada conflito no trabalho, aparecem
bandeiras que tremulam ao vento, com as palavras:
"Ei, me ouça". Na maioria das vezes, porém, todos os
combatentes locais estão muito ocupados
recarregando sua munição verbal.
Gary Chapman

A falta de conexão entre administração e
funcionários provoca desconfiança,
cinismo e apatia.
Paul White

1

COMO SE FORMA UM LOCAL DE TRABALHO TÓXICO

Por que tantos de nós respiram veneno e odeiam o próprio emprego

Você trabalha para um chefe tóxico? Seu local de trabalho parece venenoso?

Se for o caso, você não está sozinho, e é possível que este livro o ajude a sobreviver.

Em contrapartida, se você tem experiências de trabalho relativamente positivas, pode se surpreender, assim como nós, ao perguntar a amigos, colegas e parentes se eles já sofreram com um chefe ou ambiente de trabalho tóxico. Muitos nos contam histórias reveladoras, e até mesmo terríveis.

Tal qual a maioria, já havíamos ouvido falar de "chefes infernais", mas não imaginávamos encontrar, dentro dos círculos que frequentamos, tantas experiências que variam de frustração intensa a humilhação e ameaças à saúde.

No entanto, não deveríamos ter nos surpreendido. De acordo com o Instituto Gallup, sete dentre cada dez trabalhadores nos Estados Unidos apenas suportam seu emprego ou o odeiam completamente.* Mas por quê?

Em nosso mundo conectado e globalizado, imprevistos impactam os mercados, as tecnologias, a estabilidade — e também as pessoas, conforme sempre vemos nos noticiários. Tais reviravoltas golpeiam o moral do trabalhador em todos os setores, do varejo à tecnologia da informação, de escolas

* Disponível em: <http://www.gallup.com/services/178514/state-american-workplace.aspx>. Acesso em: 16 de dezembro de 2015.

e governo local a hospitais e bancos. Os empregados lutam com incertezas econômicas, redução de pessoal e exigências para produzir mais com menos. Eles — nós — se sentem sobrecarregados, mal pagos, inseguros e desvalorizados.

A atitude resvala para o cinismo. Cresce a tendência de jogar a culpa nos outros.

Certa profissional, de aspecto abatido e derrotado, nos contou que "a implicância, as críticas e a falta de apoio" haviam espalhado veneno em um local onde ela outrora amara trabalhar. Agora, disse: "A tensão é tão pesada que odeio ir para o trabalho. Na verdade, neste momento, eu odeio minha vida".

Quando o ambiente de trabalho se torna tóxico, seu veneno ultrapassa os muros do escritório e entra na vida dos trabalhadores e respectivas famílias. Em contrapartida, organizações com atmosfera positiva energizam e inspiram seus colaboradores. Quando forçadas a reduzir o pessoal, tentam abrandar as afiadas arestas da realidade. Seus líderes sabem que as instituições vão bem quando os funcionários vão bem.

O mais estranho é que tanto os locais de trabalho tóxicos quanto os saudáveis costumam anunciar declarações de missão semelhantes. Ambos citam valores como integridade, respeito pelo indivíduo e compromisso com a excelência. A diferença é que as organizações cujo clima é positivo encontram meios de pôr em ação seus professos valores, ao passo que as culturas tóxicas permitem que interesses pessoais e outras prioridades deixem de fora aquilo que declaram no papel. Duas organizações parecidas, com declarações de valor quase idênticas, podem ser drasticamente diferentes.

Foi isso que um jovem pai chamado Bill vivenciou em três grandes empresas do mesmo ramo. Ele conseguiu um emprego na empresa número um, completamente feliz e grato por ter um chefe que atuava como seu mentor, com toda a paciência. Os benefícios ajudavam muito, e a atmosfera era agradável. Mas a empresa começou a terceirizar projetos em Costa Rica e, meses depois, anunciou que estava mudando para fora do estado. Por causa de obrigações familiares, Bill não podia se mudar e, ao longo dos nove meses seguintes, a empresa o levou de avião até a nova sede, para treinar substitutos. E ele ainda recebeu excelentes recomendações a serem usadas na busca por um novo emprego.

Quando a empresa número dois o contratou, Bill não sabia que estava prestes a passar pelo golpe triplo de dois chefes tóxicos dentro de uma cultura tóxica. Veja como ele descreveu a experiência:

> Que contraste com a primeira empresa! A corrida em busca de lucro corporativo sugava a vida dos funcionários. Certo dia, recebemos uma mensagem com o anúncio de que havíamos batido o recorde de lucros no mês e, em seguida, ironicamente, outra mensagem em que se exigia o fim de todos os gastos com material de escritório e viagens. Eu começava a manhã na frente do computador, antes do nascer do sol, para poder me comunicar com a Europa e, após um dia inteiro de trabalho, à noite voltava para o computador, a fim de falar com a Ásia. Tinha salário fixo e não recebia horas extras pela carga horária violenta. Mesmo assim, meus chefes mal-humorados e viciados em trabalho me criticavam por fazer uma pausa para o almoço.
>
> A atmosfera local só abria espaço para as regras da empresa e o sucesso. A sala de intervalo tinha uma televisão grande que só mostrava propagandas corporativas. Não havia imagens nos banheiros, apenas listas de regras do tipo: são permitidos no máximo três lápis ou canetas em sua escrivaninha e somente duas fotografias em cada baia.
>
> Parece que estou exagerando ao contar isso, mas não estou. Dois associados qualificados foram demitidos. Outro que tinha esposa e filhos foi embora no meio do dia, traumatizado, para nunca mais voltar. Eu me perguntava quem seria o próximo a ser dispensado. Da equipe de oito com a qual comecei, restaram meu gerente e eu.
>
> Ao cuidar de uma grande cota de trabalho sem nenhuma equipe de apoio, minha carga de trabalho triplicou, mas meus chefes diziam: "Observamos que você não está solicitando mais trabalho". Acho que é porque não tinham ninguém mais a quem delegar as tarefas, mas nunca ouvi uma palavra de incentivo da parte deles. Contudo, advertiram-me de que mantinham um arquivo com o registro de todos os meus erros.

Em dois anos terríveis, ganhei muito peso; temia por minha saúde e por meu casamento. Sentia-me preso em uma armadilha, sem poder pedir demissão, por ter uma família para sustentar. No entanto, chegou o dia em que tive certeza de que precisava ir embora, para minha própria sobrevivência. Conversei com meu irmão e com meu pastor, a fim de conseguir um pouco de apoio moral, e apresentei o aviso prévio.

Felizmente, no mesmo dia, um ex-colega de trabalho me mandou uma mensagem sobre uma oferta de emprego! Logo consegui um novo cargo no mesmo ramo — e passei por outro contraste marcante. Mudei de um lugar tóxico e infeliz para outro caloroso e amistoso. Agora, no trabalho, conversamos e rimos juntos. Celebramos acontecimentos pessoais e torcemos uns pelos outros. Nossa chefe faz de tudo para pôr a mão na massa e ajudar. Ela sorri ao se aproximar de um grupo e pergunta: "Como vocês estão? Há algo que eu possa fazer?". Vai embora às 5 horas da tarde, sinalizando para nós que não tem a expectativa de que trabalhemos setenta ou oitenta horas por semana.

Essa nova empresa prevê uma Semana da Valorização Pessoal em seu calendário corporativo, período no qual demonstra reconhecimento genuíno pelos funcionários. A empresa da qual saí tinha em sua agenda a Tarde do Reconhecimento Pessoal, mas ela acabava sendo cancelada por causa das pressões do trabalho!

Logo depois de entrar na organização atual, pesquisei no Google o índice de satisfação dos funcionários e descobri que ela estava lá no topo. Também dei uma olhada na empresa tóxica da qual acabara de pedir demissão e, é claro, estava muito abaixo.

Ah, como eu gostaria de ter feito essa pesquisa antes!

A empresa da qual saí tinha em sua agenda a Tarde do Reconhecimento Pessoal, mas ela acabava sendo cancelada por causa das pressões do trabalho!

A experiência de Bill com essas empresas é parecida com a de muitos de nossos entrevistados: funcionários desiludidos e magoados em um local de trabalho, mas animados e cheios de energia em outro. Algumas organizações são excelentes lugares onde trabalhar, ao passo que milhares de outras são tão disfuncionais que seus funcionários se sentem tão desanimados e desrespeitados que vão embora, a despeito das consequências — ou desejam desesperadamente poder fazê-lo.

A autora e consultora Annie McKee faz a seguinte descrição:

> As organizações tóxicas ou dissonantes estão repletas de conflito, medo e raiva. O ambiente faz as pessoas terem reações fisiológicas como se estivessem em uma situação de luta ou fuga. Indivíduos saudáveis ficam doentes. O sistema imunológico atua com menor eficácia. Resfriados, gripes e doenças ligadas ao estresse, como infartos, são mais comuns. Ao entrar em uma organização tóxica, é possível sentir que algo está errado. Em contrapartida, nas organizações ressoantes, os funcionários tiram menos dias de licença médica e o índice de demissões é baixo. As pessoas sorriem, fazem brincadeiras, falam abertamente e ajudam umas as outras.

O que acontece? Os ambientes de trabalho tóxicos são inevitáveis atualmente?

* * *

"A vida é difícil." Este é o famoso início de Scott Peck em seu sucesso de vendas *A trilha menos percorrida*. E, se a vida já é difícil, a grande porção dela chamada "trabalho" costuma ser a parte mais dura de todas.

Em sua obra-prima *Working* [Trabalho], Studs Terkel, vencedor do Prêmio Pulitzer, reflete aquilo que ouvimos de diversos entrevistados:

> Este livro, sendo sobre trabalho, é também, por natureza, um livro sobre violência — tanto ao espírito quanto ao corpo. Fala sobre úlceras e acidentes, sobre gritarias e brigas de soco, sobre ataques de nervos. [...] É, acima de tudo (ou abaixo de tudo), um livro sobre humilhações diárias. Chegar ao fim do dia é um grande triunfo para os feridos que caminham entre a grande maioria de nós.

No entanto, o trabalho também é fonte não apenas de sustento, mas de realização pessoal e significado. Todos precisamos trabalhar e dependemos uns dos outros. A vida sempre foi difícil, mas as pressões econômicas, as incertezas, as complexidades e o esfacelamento social da atualidade geram inúmeros motivos para que os locais de trabalho deixem de incentivar e empoderar os funcionários.

Dentre tais motivos, um dos principais é a falha na liderança, exercida por pessoas de alta capacidade, mas inconscientes ou despreocupadas quanto às próprias limitações. A dolorosa realidade dos chefes tóxicos é agravada por aquilo que os pesquisadores chamam de "doença dos CEOs". O termo descreve o óbvio: ninguém quer dar más notícias ao chefe, muito menos dizer que ele está agindo como um imbecil.

A gerente Ruth nos contou sobre o chefe que teve em uma pequena empresa:

> Ele não tinha habilidades administrativas, nem ouvia conselhos. Adorava usar a humilhação como ferramenta e provocava brigas dentro da equipe. Toda vez que havia três pessoas em uma sala, elas estavam falando sobre uma quarta. Era um lugar horrível onde trabalhar.

Ninguém quer dar más notícias ao chefe, muito menos dizer que ele está agindo como um imbecil.

Conforme a consultora McKee destacou, os funcionários dessas empresas desenvolvem problemas de saúde, e Ruth não foi exceção:

> Aquilo estava me consumindo. Minha pressão sanguínea subiu trinta pontos; eu sofria de refluxo e tinha de ir ao médico a cada seis a oito semanas. Ele me falou que eu estava causando danos de longo prazo ao meu corpo. Eu dizia a mim mesma: "Isso está me matando", mas não tinha outra perspectiva de emprego.

Conversamos com muitos funcionários que se sentiam presos em armadilha semelhante. O que o trabalhador deve fazer? Confrontar? Curvar-se? Pedir demissão?

Ruth levou mais de cinco anos para se livrar daquele nó. Ela precisava desesperadamente do salário, de modo que continuou suportando o abuso. Um sábio executivo de sua igreja lhe deu conselhos sobre como melhorar a procura por emprego, mas Ruth não conseguia fazer muita coisa, pois mal dava conta das sessenta horas de trabalho semanais.

Certo dia, teve um *insight*. No trabalho, era menosprezada e tratada como se fosse incompetente, mas em todos os outros lugares era muito valorizada — nos papéis de mãe, amiga, líder da igreja e vizinha. "É impossível as duas coisas serem verdadeiras", percebeu. "As pessoas que admiro e respeito me valorizam. É aí que está a verdade."

Mas isso não diminuiu o que o ambiente de trabalho lhe causava. Um amigo empresário perguntou: "Você está disposta a se mudar?". Ruth tinha bons motivos para não sair da cidade, por isso deu uma resposta negativa. Um ano mais tarde, porém, quando ele fez a mesma pergunta, ela respondeu que sim.

Embora estivesse disposta a ir para qualquer lugar e trabalhar praticamente com qualquer coisa, os processos seletivos de que participava e as redes de contato que tinha não davam resultado. A saúde continuava a deteriorar. Ela sabia que só poderia pedir demissão quando tivesse outro emprego, mas nos perguntou: "Quando sabemos que o emprego está nos matando, como definir a hora de pedir demissão? Eu tinha consciência de que provavelmente perderia minha casa se o fizesse, mas cheguei ao ponto de perceber que isso era melhor que morrer! Por isso, após cinco anos e meio de infelicidade total, finalmente pedi para sair".

Depois disso, só encontrou alguns trabalhos como *freelance* e precisou de seis meses para reunir a energia necessária para fazer uma busca ativa por um novo emprego. Felizmente, sua rede de contatos acabou rendendo frutos e ela encontrou uma oportunidade compatível com sua experiência e capacitação, a mais de mil quilômetros de onde morava.

Hoje, Ruth esbanja elogios ao novo chefe e ao seu novo local de trabalho. "Agora me sinto valorizada e apoiada", ela nos contou. "É um prazer ir trabalhar todos os dias."

Mesmo assim, ela sofreu por anos. No mercado de trabalho atual, nem sempre é fácil seguir em frente.

* * *

O mais intrigante em tantas das histórias que ouvimos são os relatos sobre líderes que, embora tenham alto grau de instrução e qualificação, envenenam as organizações onde atuam. Ficamos particularmente perplexos ao saber que líderes com diploma em psicologia e relacionamentos interpessoais usam suas habilidades para alcançar interesses próprios.

Um supervisor de serviço social chamado Clayton nos contou sobre sua primeira experiência de trabalho, ocorrida logo que ele saiu da pós-graduação. Ele havia trabalhado em várias agências de serviços sociais que apresentavam um índice saudável de propósito comum e reconhecimento mútuo, mas não foi assim em seu primeiro emprego como profissional licenciado.

Quando conheceu o diretor da pequena agência, Clayton pensou que o profissional mais velho o ajudaria a aprender o caminho das pedras. Os quatro outros assistentes lhe deram as boas-vindas e ele começou, com todo o entusiasmo, a preparar estudos de caso para a reunião semanal da equipe. Na reunião, porém, notou que os colegas de trabalho só ficavam em silêncio. Ao apresentar os casos, o diretor se apressava em destacar aquilo que Clayton havia deixado de notar.

Veja o que aconteceu com Clayton:

> O diretor era excessivamente duro com os outros, mas, quando fui apresentado, abrandou as críticas. Chegou a dizer que os assistentes sociais mais experientes poderiam aprender com o novo funcionário. Foi estranho ser colocado lá em cima daquele jeito, já que eu era o novato.
>
> Dias depois, apresentei um caso com diagnóstico duvidoso. Esperava que a equipe se engajasse e trabalhasse unida para

definir a melhor abordagem. Em vez disso, o diretor caiu em cima de mim, perguntando se minhas credenciais eram legítimas e como eu podia me denominar assistente social se não conseguia interpretar um simples diagnóstico. Fiquei pasmo e me senti humilhado, questionando-me se realmente não tinha noção das coisas. Nunca tinha sido tão envergonhado.

Ao longo dos dias seguintes, em particular, todos os outros assistentes me contaram a verdade. Apesar da experiência e do conhecimento do diretor, ele ensinava por meio da humilhação. Disseram que era apenas questão de tempo para eu ser alvo dele novamente.

Estava desmoralizado, mas fiquei pensando que tinha sorte de ter o emprego, já que não era muito experiente. Aceitei meu papel como mais uma criança maltratada dentro da família.

Como não pedi demissão depois de ser atacado, o diretor interpretou que o sinal estava verde para seus abusos verbais. Todas as reuniões eram dolorosas. Ficávamos aliviados quando não éramos o alvo, mas nos sentíamos mal por quem o era. Nós nos víamos como perdedores incapacitados que não mereciam ser pagos.

Ao olhar para trás, não consigo acreditar que fiquei ali durante quatro anos. Fui promovido a supervisor e gerente do programa, mas odiava ir para o trabalho, sem saber se ouviria o diretor me chamar de idiota ou perguntar como eu conseguia viver com a consciência de que era uma fraude total.

Nós nos víamos como perdedores incapacitados que não mereciam ser pagos.

Com a autoestima prejudicada, sempre nos questionávamos se nossa abordagem com os clientes era adequada; éramos incapazes de tomar decisões sadias, presos na armadilha de um ambiente de trabalho nocivo e abusivo. Sentíamo-nos hipócritas ao dizer aos clientes que eles deveriam tomar as rédeas das próprias escolhas. Comecei a me identificar com o arquétipo do "curador ferido", mas com ressentimento e aversão a mim mesmo. Exausto e desmoralizado, finalmente comecei a procurar outro emprego.

Quando saí, aos poucos senti a escuridão em minha vida se dissipar. Eu já não me retraía ao chegar em casa após o trabalho. Chegava cheio de energia e gratidão. Meu novo emprego, com um supervisor sábio e apoiador, me fez perceber quão profundamente tóxico era o ambiente no qual estivera. Foi difícil acreditar que não pude perceber aquilo antes! Tomei a decisão de nunca mais me sujeitar a um ambiente de trabalho que me fizesse sentir mal acerca de mim mesmo.

Temos a expectativa de que centros de aconselhamento, com seu compromisso com a cura e com o alto grau de instrução de seus colaboradores, sejam oásis para os relacionamentos. Quando tais valores são violados, sentimos que há algo de muito estranho. Já as organizações que lidam com problemas sociais e crimes costumam contratar funcionários menos qualificados e, às vezes, as substâncias inflamáveis presentes no ar desses lugares levam a explosões. Diana, por exemplo, bem qualificada com um doutorado e experiência considerável, há sete meses tornou-se a nova gerente da divisão do departamento de correção de um centro comunitário. Ela não fazia ideia do tamanho da desordem que precisaria enfrentar. Um acontecimento trágico levou a duas investigações e, em consequência, o chefe do departamento, um líder regional e um supervisor de unidade foram forçados a se aposentar.

Veja o que ela nos contou:

"Tóxico" é pouco para descrever meu ambiente de trabalho. Informações atravessadas, rumores e fofocas estão tornando este momento estressante para todos. Apesar das reuniões semanais para manter a equipe atualizada e abordar os rumores, o veneno se multiplica. Alguns funcionários descontentes aproximaram-se da imprensa, escreveram cartas anônimas para o prefeito e continuam a disseminar a negatividade. Todos sentem o tumulto.

Nosso chefe logo vai se aposentar e recentemente colocou seis pessoas em posições interinas de supervisão. Foram excelentes escolhas. Todos têm demonstrado qualidades de liderança, atitudes positivas e forte ética de trabalho. No entanto, insatisfeitos por não terem sido escolhidos, funcionários tóxicos estão reclamando e correndo para o RH.

A solução de Diana:

> Esta semana decidi que já gastei energia e tempo excessivos tentando apaziguá-los. Muitos bons funcionários querem transformar nossa divisão em um modelo para as outras agências de correção comunitária. Temos trabalho demais a fazer para permitir que os tagarelas tóxicos controlem a situação.
>
> Tenho a esperança de que essa montanha-russa de emoções terminará logo.

Diana está reunindo os maiores esforços em iniciativas positivas e dando oportunidades para aqueles que querem seguir em frente. Está atuando tanto na defensiva quanto na ofensiva, empoderando aqueles que podem trazer uma nova realidade. Ela vê luz no fim do túnel.

Temos trabalho demais a fazer para permitir que os tagarelas tóxicos controlem a situação.

Alguns locais de trabalho, porém, são tão danosos que a montanha-russa parece infindável. E quanto antes a pessoa puder sair, melhor.

Com certeza, esse era o caso de um executivo chamado Carlos. Ele conta que, em um emprego anterior, seus dois chefes iam para o exterior ganhar milhões de dólares e depois voltavam para usar metade da quantia em um estilo de vida movido por drogas, álcool e mulheres. Certa vez, Carlos entrou na sala do chefe e o encontrou enfileirando cocaína na mesa. Dos vinte funcionários, Carlos conta que era o único que não havia dormido com a recepcionista. Pense em um local de trabalho disfuncional!

No entanto, ele não podia pedir demissão imediatamente. Como Carlos sobreviveu? “Eu apenas fazia meu trabalho”, disse-nos ele. “Sou focado em tarefas e me concentrava na lista daquilo que tinha para fazer.” Assim que conseguiu outro emprego, saiu dali.

* * *

As substâncias venenosas provêm de muitas fontes, inclusive de burocracias que frustram e paralisam. Além disso, os funcionários nos contam como se sentem marginalizados pela hierarquia quando os promovidos desprezam os que ficaram para trás e os credenciados dominam sobre os não credenciados.

David, que atua como facilitador de relações profissionais, descreve a situação nos projetos militares federais. Ele nos conta que milhares de funcionários com experiência e habilidades semelhantes se encontram em ambientes nos quais a posição hierárquica pode imediatamente estigmatizar a pessoa como excluída. "Os contratados estão em uma indústria brutal, uma verdadeira dança das cadeiras, na qual recebem ótimo pagamento, mas nenhum respeito."

David descreve os três níveis da hierarquia: os contratados são a terceira classe; os funcionários civis, a segunda classe; e os de farda, a primeira classe. "A ironia é que todos têm basicamente a mesma experiência, vestem-se de maneira semelhante e pensam parecido. Os caras, na maioria, serviram juntos, são veteranos, mas os que ocupam um ou dois níveis acima no sistema de castas chamam os que estão embaixo de 'contratados nojentos'."

Em muitos locais de trabalho, ter as credenciais "erradas" pode significar marginalização. Um jovem pai chamado Ted tinha curso superior e desfrutou uma década de sucesso na área em que atuava, mas, de uma hora para a outra, ficou desempregado. Depois de passar meses desesperado em busca de trabalho, encontrou emprego em um sistema escolar local como "interventor comportamental", responsável por supervisionar adolescentes problemáticos.

A administração ofereceu pouquíssimo treinamento e nada fazia para incentivá-lo. Ele foi atacado duas vezes por um estudante, mas ninguém se importou, nem perguntou se ele estava bem. Embora Ted fosse o único a passar dias inteiros com os alunos problemáticos, ninguém o convidava para as reuniões de avaliação.

Ted nos contou:

As pessoas sempre procuraram e valorizaram minhas opiniões, mas ali foi diferente. Somente professores e administradores tinham valor; os outros poucos membros da equipe eram tratados como inferiores. A atmosfera era extremamente negativa. Havia conversas constantes sobre bebedeiras, festas e sexo. Os convites para eventos da escola com o objetivo de elevar o moral dos funcionários só chegavam aos professores e administradores. Era difícil lidar com crianças nervosas e problemáticas o dia inteiro, mas isso não me esgotava tanto quanto ser esnobado por profissionais que nunca diziam uma palavra alegre, muito menos de incentivo. Um sorriso ou uma única palavra de reconhecimento fariam toda a diferença.

Um sorriso ou uma única palavra de reconhecimento fariam toda a diferença.

Ted, que trabalhou apenas um ano nessa escola, conta como suportou esse período:

Eu sobrevivi passando tempo com três secretárias que estavam no mesmo barco. Elas diziam coisas engraçadas; a amizade e a atmosfera positiva em torno delas animavam meu espírito. Aprendi que concentrar a mente naquele oásis agradável e em atitudes construtivas me faziam chegar inteiro no fim do dia. Elas não faziam ideia de como o incentivo e as atitudes positivas que demonstravam eram importantes para mim.

Estratégias de sobrevivência

Ouça seu corpo. Ruth decidiu que o contracheque não era tão importante para ela quanto a saúde. Bill engoliu dia após dia um ambiente tóxico por dois anos, ganhando peso e esgotando as energias. Pagou um alto preço e ainda está tentando se recuperar física e mentalmente. Caso seu corpo reclame de forma insistente, analise seriamente todas as alternativas.

Busque perspectiva. Procure alguém objetivo e sábio. Compartilhe tudo que está acontecendo e ouça novas formas de encarar os passos que você pode dar.

Enfrente seus medos. Todos temos medos e, muitas vezes, eles espreitam do mais profundo do nosso ser, sugando a força de vontade e obscurecendo os pensamentos. Traga-os à tona, confronte-os e reúna coragem, procurando recursos que o desafiem e inspirem.

Não se curve. Clayton era inexperiente demais para saber que permitir o menosprezo seria visto pelo chefe como sinal verde para humilhá-lo outras vezes. No capítulo seguinte, veremos uma funcionária confrontar o chefe com firmeza ao perceber que poderia ser a próxima vítima. Se o bom senso e sua consciência disserem que seu chefe está fora de controle, encontre uma forma de estabelecer limites.

Lições de liderança

A vida pode ser brutalmente injusta. Isso é fato quando se trata de ambientes de trabalho tóxicos. Mesmo que saia logo do emprego, é possível que você permaneça com sentimentos de que está sendo consumido pela injustiça, com feridas que continuam a deteriorar.

Não é por acaso que muito já se escreveu sobre o poder e a necessidade de perdão e aceitação. Gary Chapman aconselha muitos pacientes que lutam com os maus-tratos que receberam. Certa mulher que ele aconselhou por dois anos não conseguia superar a dolorosa experiência que tivera na empresa onde havia trabalhado. Ela dera duro em uma das maiores fábricas dos Estados Unidos e conseguiu chegar à gerência. Então, depois de trabalhar ali por 25 anos, foi demitida. Ela contou a Gary sobre sua supervisora:

> Era impossível agradá-la. Não importava o que eu fizesse, nunca era suficiente. Eu trabalhava até tarde e chegava cedo para cumprir os prazos, mas algo sempre estava faltando. Todos os meus colegas percebiam isso e expressavam empatia.
>
> Eu tentava conversar com ela e perguntar o que precisava fazer para melhorar. As respostas nunca eram específicas. Ela

simplesmente não gostava de mim e acabou me acusando de fraudar a empresa. Deus sabe que não sou culpada! Nunca faria algo assim. Ela não tinha evidências, mas estava convencida disso. Portanto, fui demitida.

Foi então que ela procurou Gary e, semana após semana, ele a ouvia contar as mesmas experiências dolorosas de como fora maltratada. Certa vez, ela levou consigo um ex-colega que confirmou a história. Gary tentou ajudá-la a processar a dor e a seguir em frente, mas ela permanecia presa no ressentimento.

Ao longo dos doze anos seguintes, investiu toda a sua energia em conversar com um advogado após o outro sobre como processar a empresa. Finalmente, encontrou um que aceitou o caso e, por três anos, investiu dinheiro no esforço inútil de "fazê-los pagar" pelo que acontecera.

Gary resume os esforços dela da seguinte forma: "Em essência, ela perdeu quinze anos lutando uma batalha sem perspectiva de vitória. Trata-se de um péssimo investimento a se fazer na vida. Como eu gostaria que ela tivesse aceitado a realidade de que o mundo é injusto e investido esses quinze anos na realização de algo significativo!".

Questões para debate

- Você já trabalhou em um ambiente tóxico? Em caso afirmativo, o que havia de prejudicial nesse local de trabalho?
- Quais fatores você acha que devem ser levados em consideração para decidir que chegou a hora de sair de um ambiente de trabalho nocivo?

Quase todos conseguem suportar a adversidade,
mas, se quiser testar o caráter de um homem,
é só lhe dar poder.
ABRAHAM LINCOLN

A posição hierárquica não confere privilégio nem
poder; em vez disso, impõe responsabilidade.
PETER DRUCKER

Dos bilionários que conheço, o dinheiro só ressalta
as características básicas. Se eram imbecis antes de
terem dinheiro, tornam-se simplesmente imbecis com
um bilhão de dólares.
WARREN BUFFETT

2

AS MUITAS FACES DO CHEFE TÓXICO

Cruéis ou sem noção, tiranos ou sutis, eles abastecem o local de trabalho com infelicidade

Warren Bennis, autor de mais de trinta ótimos livros sobre liderança, descreve os líderes autênticos como "extraordinariamente sintonizados com seus seguidores, sentindo suas dores, seus desejos e suas necessidades. Os líderes são ricamente dotados de empatia".

Bennis retrata as características essenciais da autêntica liderança. O total oposto descreve os líderes tóxicos. Ao entrevistarmos funcionários, foi desanimador descobrir que tantos descrevem chefes sem empatia, gestores que envenenam as organizações das quais deveriam cuidar e que têm a responsabilidade de nutrir. Líderes danosos podem ser homens ou mulheres, jovens ou velhos, discretos ou rudes. São prejudiciais por toda sorte de motivos, em todo tipo de ambientes. Quem trabalha para eles precisa enfrentar escolhas difíceis.

Veja o que Anna nos contou sobre sua experiência como jovem mãe que necessitava gerar renda enquanto o marido estava desempregado:

> Joe foi o pior chefe que já tive. Para falar a verdade, ele era uma pessoa claramente mesquinha. Era dono de um asilo com duzentos leitos e o administrava como um tirano, aterrorizando qualquer pessoa que cruzasse seu caminho ou falhasse em cumprir suas pesadas exigências.

Certa manhã, cheguei ao trabalho e encontrei as gavetas da escrivaninha da recepcionista viradas de cabeça para baixo, com as coisas jogadas por cima da mesa. E a qualquer momento a recepcionista teria de lidar com visitantes. Ao que parece, ela não fizera as coisas do jeito de Joe. Outro dia, estava nevando e o carro velho de uma funcionária ficara atolado ao subir a sinuosa e íngreme rampa de acesso. Joe entrou correndo pelo saguão, gritando: "Ou aquela mulher tira o carro dali agora mesmo ou será demitida!".

As pessoas o processavam por uma série de razões, mas ele tinha muito dinheiro e muitos advogados. Assim, sempre conseguia se safar.

Joe entrava no escritório dos gerentes e gritava com eles. Uma vez, eu o ouvi em uma sala próxima gritando com uma mulher, que logo começou a chorar. Sentia-me vulnerável e me perguntava quando seria minha vez. Meu marido estava desempregado e eu realmente precisava do emprego, mas às vezes, a despeito das consequências, não dá para suportar. Eu não sabia o que dizer ou fazer quando ele abrisse a porta para sair. A mulher ali dentro estava em lágrimas.

Anna deparou com uma decisão que confronta quase todos os funcionários que têm um chefe tóxico. Deveria enfrentá-lo ou ignorá-lo e esperar que ele não se voltasse contra ela? Ou deveria simplesmente ir embora e procurar um emprego diferente? Cada pessoa na situação dela deve tomar uma decisão. Veja o que Anna fez:

Quando meu chefe saiu da sala da mulher que chorava, eu já havia pensado bastante no que sabia ser necessário dizer. Ao se aproximar de minha mesa, olhei para ele e disse em tom de voz calmo, mas firme: "Se algum dia você gritar comigo desse jeito, saio daqui imediatamente".

Olhei para ele e disse em tom de voz calmo, mas firme: "Se algum dia você gritar comigo desse jeito, saio daqui imediatamente".

Ele apenas ouviu e seguiu em frente.

Meu chefe não me demitiu e nunca mais gritou comigo. Em vez disso, à medida que o tempo passou, ele me ensinou importantes habilidades administrativas e me promoveu como sua assistente. Seu modo de pensar era estranho. Ele tinha um ditado: "Se o peixe fede na cabeça, fede no rabo também". Mal consegui acreditar quando o ouvi dizendo isso, pois o sentido era que, se o chefe de uma empresa cheira mal, o mau cheiro contamina até o funcionário na posição mais simples. Ele não conseguia enxergar o fato — óbvio para todos os outros — de que estava descrevendo a si próprio.

Na época, eu estava passando por uma crise espiritual por causa da situação de nossa família e da condição de trabalho. Com o tempo, porém, minha fé foi renovada, e parte disso se deve à determinação de não transmitir aos outros, de maneira nenhuma, a péssima atitude de meu chefe. Ele havia me colocado bem perto de sua sala, como a segunda pessoa na fila da "cabeça fedida".

Decidi nunca transmitir nem um pouco do mau odor. Até certo ponto, eu podia contrariar o ditado de que, se a cabeça fede, o cheiro vai descendo e passando pessoa por pessoa até o final. De maneira nenhuma eu passaria adiante seu espírito egoísta e controlador para os enfermeiros, o pessoal da pastoral e as mulheres do setor de limpeza, que apenas tentavam chegar inteiros até o fim do dia de trabalho.

Nunca tive um chefe tão ruim quanto Joe. Dei sorte de ele gostar de mim por algum motivo, mas eu havia estabelecido limites e estava pronta para ir embora caso ele os desrespeitasse.

Anna tomou uma decisão que funcionou para ela. Um ano mais tarde, seu marido conseguiu um novo emprego e ela começou a trabalhar meio período em outro local. Foi crucial para sua resiliência e habilidade de prosperar a determinação de estabelecer limites e viver segundo seus valores, a despeito das consequências.

No entanto, a decisão de falar com firmeza nem sempre funciona diante de chefes tóxicos e, mesmo quando dá certo, o processo pode envolver muita dor. Traçar a linha divisória pode provocar fortes solavancos, bem como perda de segurança e de relacionamentos.

Assim como Anna, a professora Claire observou que as ações de sua chefe atacavam seus valores pessoais. Claire teve a oportunidade de lecionar em uma escola particular de ensino fundamental e achava que seria um lugar onde colegas e alunos seriam tratados com amor e respeito. Certo dia, as ações da diretora a levaram a se posicionar.

A professora conta o que aconteceu:

Quando comecei a trabalhar na escola, não me dei conta de que deveria existir um motivo para haver tantos professores recém-contratados. Não perguntei por que muitos outros tinham ido embora.

Por um ano e meio, amei ensinar meus alunos do sétimo e do oitavo anos. Eram estudantes participativos, maravilhosos. A diretora, por sua vez, tinha ideias bem definidas quanto às prioridades estudantis e ignorava muito do que acontecia na vida dos adolescentes.

O evento catalisador foi um programa que essa diretora agendou para o mesmo final de semana do Super Bowl, sem perceber o conflito que estava criando.

Eu estava na sala de aula com os alunos quando ela entrou e começou a confrontá-los por não pretenderem participar do evento escolar. Ela os atacou verbalmente, derramando baldes de culpa por não estarem fazendo a coisa certa. Fiquei pasma. Aqueles meninos não mereciam aquilo de maneira nenhuma. Nunca tinha ouvido um adulto usar um vocabulário tão depreciativo com as crianças.

Depois disso, fui à sala dela e, tentando manter a voz firme e calma, expliquei que os alunos estavam apenas seguindo a orientação dos pais e iriam às festas nas quais a família planejava comparecer. Não era culpa deles.

Ela não recuou nem um milímetro. Afirmou que era a diretora, que a escola era dela e que as coisas seriam feitas do jeito dela.

Mais uma vez, fiquei perplexa. Não sei de onde as palavras vieram, mas elas simplesmente saíram de minha boca: "Muito bem, então pode continuar fazendo as coisas sem mim. Não posso trabalhar mais para você".

Mais tarde, eu me perguntei: "Eu realmente disse isso? E será que falei sério?".

Sim, falei! Fiquei chocada comigo mesma, mas aprendi que, quando alguém ridiculariza algo com que me importo ou menospreza os outros, preciso confiar em meus instintos e dizer com cuidado o que penso.

Senti a perda de ter que me despedir dos alunos e colegas, que entenderam totalmente meu motivo para ir embora. Ao final do ano, porém, todos os professores contratados, com exceção de um, também tinham pedido demissão.

A sensação de perda e traição que Claire vivenciou foi dolorosa, mas sua reação e decisão de ir embora foram boas para sua vida pessoal. Ela encontrou um emprego em uma escola pública, fez mestrado em administração e, posteriormente, doutorado. Tornou-se diretora do distrito escolar e, por muitos anos, teve liberdade para compartilhar seus firmes valores com os alunos.

Para alguns, pedir demissão proporciona nova autonomia para crescimento e desenvolvimento pessoal.

* * *

O livro *O Princípio de Peter* causou um alvoroço tão grande anos atrás que a expressão que o intitula se tornou parte do vocabulário empresarial. Embora seja cheia de ironia, a obra apresenta de maneira divertida alguns fatos desanimadores. Sua tese defende que os funcionários continuam a ser promovidos até atingirem o nível de incompetência. Não raro, pessoas são promovidas a posições de poder sem ter habilidade para exercê-lo.

Não é comum um funcionário ver uma transformação do tipo Princípio de Peter acontecer, mas Melanie, que trabalha em um hospital, testemunhou o fato. Ela era técnica cirúrgica e logo percebeu por que promover a colega foi uma péssima ideia. Ela nos contou o seguinte:

No centro cirúrgico, tínhamos vários colegas de trabalho que compartilhavam tristezas e alegrias, e eles adoravam fofocar. Entre enfermeiros e técnicos, cerca de metade tinha uma atitude positiva e a outra metade colocava um viés negativo em tudo. Alguns de nós conversamos sobre as atitudes sombrias do segundo grupo e concordamos que não deixaríamos os murmuradores nos arrastarem para baixo.

Brenda era uma das enfermeiras do grupo negativo, mas também era uma boa colega de trabalho. Apesar de sua atitude, era capaz e cheia de energia, com uma personalidade vibrante. Era uma enfermeira eficiente.

Como colegas, tínhamos um bom relacionamento, mas ocorreu de ela se tornar nossa chefe. Depois disso, passamos a ter de lidar não só com seu falatório negativo, mas também com seu comportamento genioso e às vezes até maldoso para conosco. Brenda tinha seus problemas. Desaparecia por uma hora no meio do dia, e todos sabíamos que havia ido encontrar seu amante casado. Ela estava perdendo nosso respeito.

Algo que não consigo suportar é ver alguém ser maltratado. Por algum motivo, talvez por causa dos problemas pessoais, Brenda escolhia algum membro da equipe para ser alvo de suas implicâncias. Ela excluía esse funcionário dos assuntos do grupo e pegava no pé dele até que pedisse demissão. Isso aconteceu diversas vezes.

Para mim, tal comportamento era muito pior do que seu gênio ruim. Foi isso que finalmente me fez ir até ela e dizer: "Brenda, não vou mais arriscar minha saúde no longo prazo trabalhando para você. Amo meu emprego e gosto de você como pessoa, mas não posso respeitá-la como chefe. Não ficarei mais sacrificando minha vida aqui".

Meu marido diz que Brenda tem um quê de maldade. Sobre isso eu não sei, mas sei que ela não faz a menor ideia de como ser chefe. Um a um, todos os membros positivos da equipe de trabalho foram embora. Encontraram outros empregos, e um deles se tornou vice-presidente do hospital.

* * *

Brenda era uma pessoa "má" ou apenas mais um exemplo do Princípio de Peter? Muitos se veem às voltas com esse tipo de questionamento, pois dificilmente os locais de trabalho tóxico são como filmes de mocinho e bandido. Eles se parecem bem mais com documentários sobre disfunções urbanas e suas causas complexas.

Durante anos, Max DePree administrou a lendária empresa de móveis Herman Miller, que deu muitos exemplos de inspiração e empoderamento dos funcionários, com resultados excelentes. No livro *Leadership Jazz* [O *jazz* da liderança], DePree adverte: "Na cultura organizacional, a harmonia é algo frágil".

Frágil? DePree afirma que são vários os aspectos em que a harmonia organizacional se mostra frágil. O autor ainda faz uma intrigante declaração: "Acredite você ou não, uma das principais preocupações do líder é o problema da traição. Ocorrem muitos tipos de atos desleais dentro das organizações". Ele descreve traições comuns, dando ênfase não a vilões que traem funcionários inocentes, mas, sim, à entropia e a forças externas ao trabalho.

"Certas facetas do caráter de um líder são frágeis", diz o escritor, que cita exemplos como verdade, paciência, amor, compromisso e consistência.

Ah, *caráter*. É aí que transparecem os dilemas que envolvem o bem e o mal. Nesse contexto, DePree menciona um antigo conto familiar. Dois dos pecados capitais, a Inveja e a Avareza, andavam juntas quando de repente apareceu um anjo. O anjo lhes ofereceu qualquer coisa que pedissem, mas havia um detalhe: o outro receberia o dobro do que fosse pedido primeiro.

Rápida, como de costume, a Avareza pediu que a Inveja escolhesse primeiro. A Inveja pensou um pouco. O que ela pediu? Um olho cego!

No mercado de trabalho atual, a avareza e a inveja estão prontamente disponíveis a todos. As substâncias venenosas podem surgir em qualquer ponto da cultura organizacional.

Às vezes o líder é bem-intencionado, mas lhe falta toda a noção da realidade. Foi isso que Kurt concluiu. Ainda moço, pós-graduado e funcionário de uma agência de serviço social, ele supervisionava voluntários que faziam a defesa legal de jovens no sistema judiciário. A rotatividade da equipe de trabalho dentro da agência de quatro pessoas era alta. A mulher que Kurt substituiu havia ficado apenas dois meses.

Kurt era novo e precisava de orientação, *feedback* e apoio por parte da diretora executiva, mas ela não fazia isso. Ele a descreveu como uma pessoa desatenta, que raramente se dava conta da presença de outros no ambiente. Uma doença física exacerbava sua falta de traquejo social. Pouco tempo antes, ela havia passado por um divórcio resultante de relacionamento abusivo, mas disse aos funcionários: "Quando estou aqui, estou aqui para me dedicar a vocês e deixo meus problemas pessoais do lado de fora". Contudo, não era isso que acontecia. Muitas vezes, havia relatos que precisavam ser revisados antes de uma audiência judicial e a diretora, responsável por essa tarefa, já tinha ido embora.

Kurt nos contou:

> Em uma reunião da equipe, ela confrontou meus colegas e eu em relação ao uso do tempo, fazendo pressuposições sem checar os fatos. Aquilo foi a gota d'água: pedi demissão. Estou feliz por ter saído dali, e os outros estão pensando em ir embora também. O que me surpreendeu no dia em que pedi demissão foi a série de elogios que ela fez a meu respeito e em relação a meu trabalho. Ela simplesmente não tinha a menor noção de nada.

Muitos funcionários suportam chefes ineptos e com grandes problemas pessoais, líderes que, não raro, têm dificuldades sobretudo no que se refere a relacionamentos. Assim como Kurt, a assistente Camilla, que trabalhava em uma grande empresa, pediu demissão e mais tarde ficou surpresa quando a ex-chefe incompetente lhe telefonou e falou como se fosse sua melhor amiga. Veja o que Camilla nos contou:

> Minha supervisora era divorciada e estava tendo um caso com o CEO, que era casado. Por isso, sentia-se protegida. Ela empurrava o próprio trabalho para cima dos subordinados e ficava sentada em sua sala, navegando na internet. Então saía de lá e me procurava

para conversar; depois, ficava irritada por eu não conseguir terminar o trabalho.

Era ótima em jogar a culpa nos outros. Quando eu era nova no emprego, ela me fez reunir uma série de dados e com eles preparar uma apresentação para a junta diretiva. Eu não sabia nada acerca das informações, apenas reuni os documentos. Contudo, enquanto ela conduzia a apresentação, um diretor chamou atenção para um erro; então ela me convocou e me repreendeu severamente na frente dos associados.

Por causa do relacionamento que essa supervisora tinha com o CEO, os outros gerentes não gostavam dela, nem a respeitavam.

Comigo, ela variava entre quente e frio. Em um dia, eu achava que ela me odiava e me demitiria. No outro, ela me tratava como se eu fosse sua melhor amiga. Ela dizia coisas pessoais e maldosas para mim e bloqueava minhas tentativas quando eu me candidatava a outras funções dentro da empresa. Sentia-me presa em uma armadilha e nunca respondia a seus ataques. Os demais suportavam a mesma tensão e, nos bastidores, apoiávamos uns aos outros.

Por fim, concluí que minha chefe era disfuncional porque sua vida estava caindo aos pedaços. Pouco depois que eu saí da empresa, ela foi demitida e teve dificuldades para encontrar outro emprego. Foi então que me telefonou; percebi que aquela mulher me considerava uma amiga e que o relacionamento comigo era importante para ela.

Já tive todo tipo de chefe em todos os tipos de ambientes de trabalho. Aprendi a extrair o melhor de cada um, a suportar as dificuldades e aproveitar o que é bom.

As frustrações de Kurt e Camilla são leves em contraste com o que outros precisam suportar. E, assim como Anna, Claire e Melanie, todos conseguiram mudar para empregos melhores. Outros, porém, se sentem presos a chefes dominadores que tornam a vida dos funcionários um inferno. Ouvimos o seguinte de Janelle, que trabalha em uma empresa há sete anos, mas é menosprezada e supervigiada:

A empresa diz que nossa opinião é altamente valorizada, mas, quando dou uma sugestão para resolver um problema, sou rotulada de reclamadora. Quando estou com minha chefe e aparece alguém de posição superior, ela me ignora de modo rude. A atitude dela comunica que sou inútil.

Gosto do meu trabalho e, nos sete anos em que estou aqui, nunca cometi um erro que justificasse o fato de ela me vigiar o tempo inteiro. Ela faz perguntas que me dão vontade de gritar que não sou idiota.

É muito prejudicial esconder as emoções, mas sou forçada a ficar de boca fechada. Se digo qualquer coisa sobre como ela me faz sentir, ela inverte a questão, dizendo que sou eu quem tem um problema. Ela nunca é o problema. Jamais pede desculpas; não escuta o que temos a dizer. Ela tira uma conclusão e então ataca. Como é a chefe, pode fazer isso sem sofrer consequências. Já tentei ir até a diretoria, mas o tiro saiu pela culatra e fui prejudicada.

> É muito prejudicial esconder as emoções, mas sou forçada a ficar de boca fechada.

Hoje sou muito menos útil à empresa do que poderia ser. Fico de cabeça baixa e, por autopreservação, apenas realizo meu trabalho, conversando o mínimo com os outros. No entanto, a ironia é a seguinte: nesse processo de autopreservação, na verdade, estou me destruindo. Ao guardar os sentimentos não expressos, estou ficando emocional e fisicamente doente.

Janelle deve pedir demissão? Se tiver outras opções, sim, e talvez até mesmo se as opções não estiverem aparentes, como no caso de Bill, do capítulo 1. Ou pode levar tempo, como aconteceu com Ruth. Trata-se de uma difícil decisão pessoal em cada circunstância, mas, quando há danos significativos para a saúde, é necessário partir para uma ação ousada.

* * *

Ficamos surpresos com a frequência com que os entrevistados dizem ter aprendido muito com seus chefes tóxicos. Refletindo sobre o assunto, entendemos como isso acontece, uma vez que é preciso determinação para se tornar chefe. Em alguns casos, os piores controladores e manipuladores têm ótimas capacidades. As personalidades e os locais de trabalho são complexos. Como Anna descobriu com o tirano Joe, trabalhar com um chefe disfuncional pode trazer sofrimento, mas também oportunidades.

Mitzi, uma gerente de nível intermediário, aprendeu muito com seu primeiro chefe. Era seu sogro, um pequeno comerciante, com muito a ensinar. Ele lhe dava boas oportunidades, mas, quando o desempenho de Mitzi não estava à altura de suas expectativas, explodia em frustração. Usava palavras cruéis para menosprezá-la. Ela diz o seguinte sobre o assunto: "Foi uma experiência muito humilhante, mas também recompensadora. Nunca trabalharia para ele de novo, pois isso arruinaria o bom sentimento que nutro por ele agora".

Mais tarde, Mitzi teve uma chefe parecida com o sogro de muitas maneiras: a líder a elogiava pelo trabalho notável em um projeto e mais tarde comentava: "Eu poderia ter contratado um estagiário para fazer isso". Focada em objetivos, essa chefe se considerava especialista em dar *feedback* aos funcionários, dizendo: "*Feedback* é um presente". No entanto, esse retorno era vago, genérico e desanimador. Por exemplo, ela disse: "Enquanto você estava de licença-maternidade, seus clientes foram mais bem atendidos por seus colegas de trabalho do que por você". Não dizia nada específico, nem dava conselhos. Mitzi se sentiu muito vulnerável dessa vez, e a chefe se aproveitou disso, escolhendo ser ainda mais cruel que de costume.

O que Mitzi fez? Algo muito sábio: procurou o conselho de mentores. Veja o que ela ouviu:

O feedback *é um presente quando dado por alguém que conquistou sua confiança.* Isso a ajudou a perceber que o *feedback* da chefe era falho e a não permitir que fosse tão destrutivo.

Embora sua chefe não dê feedback *positivo, você pode fazer isso com ela.* Mitzi a confrontou em relação à falta de especificidade nas declarações e desafiou suas pressuposições vagas.

Além disso, Mitzi descobriu que diálogos francos com os colegas de trabalho são úteis. "Eles estavam passando pela mesma experiência, e ouvir as histórias deles me fez sentir menos só. Isso nos transformou em uma equipe mais forte".

No entanto, suas conversas com o pessoal de recursos humanos foram decepcionantes. "Elas não me levaram a lugar nenhum! Uma das maiores lições que aprendi foi que eles não estavam ali para ajudar, nem para proteger o funcionário do chefe maldoso. O objetivo era apenas se certificar de que a empresa não seria processada".

Felizmente, nem sempre isso é verdade, mas, às vezes, as pressões das políticas corporativas sobre o RH e as leis governamentais neutralizam a habilidade que esse departamento tem para ajudar.

Mitzi aceitou o conselho dos mentores e explicou à chefe que os comentários vagos e cruéis eram maldosos e ineficazes. "Eles me davam vontade de chorar", disse ela, "e eu não sou o tipo de pessoa que chora no trabalho. Esse tipo de *feedback* não me ajuda a melhorar meu desempenho, nem a equipe." A chefe ouviu e ajustou a conduta.

Mitzi conta: "No fim, tornei-me uma pessoa mais forte e mais autoconsciente. Desenvolvi relacionamentos mais honestos com meus colegas de trabalho e fortaleci a amizade com meus mentores. Aprendi que, antes de dar um *feedback* crítico aos outros, preciso conquistar a confiança deles e fazê-lo de maneira construtiva".

Essa é a esperança que existe quando expressamos nossos sentimentos e pensamentos, mas o contraste entre a experiência de Mitzi e a de Janelle ilustra como chefes diferentes reagem à franqueza. Alguns ouvem e aprendem, mas outros, por mais diplomática que seja a abordagem, reagem na defensiva. Nesse caso, Janelle está certa quanto ao que pode acontecer com a psique e o corpo.

Estratégias de sobrevivência

Deixe a amargura de lado. Quando temos grandes responsabilidades, trabalhar para um chefe tóxico pode nos tornar não só nervosos (sentimento que pode ser útil, se usado com sabedoria), mas também amargos, fazendo de nós pessoas igualmente tóxicas. Encontre maneiras de alimentar suas reservas internas e adquirir perspectiva. Desenvolva resistência, mas recuse ressentimentos amargos. Não deixe que uma liderança ruim comece a azedar seu jeito de liderar.

Desvie a corrente letal. Aproveite a dica de Anna, que se encontrava em uma posição capaz de amenizar a fluxo venenoso que corria em direção aos outros. Talvez você também possa diminuir o veneno ou impedir que ele atinja os demais.

Resista à retaliação. Florence Nightingale aconselhou muito tempo atrás: "Não entre em guerras de papel". Hoje em dia, tome cuidado com as guerras por *e-mail*; elas podem multiplicar seus problemas.

Permaneça positivo. Pense nesta citação de David Sarnoff, um pioneiro do rádio e da TV: "Não paralisemos nossa capacidade de fazer o bem remoendo a capacidade humana de praticar o mal".

Lições de liderança

O Princípio de Peter é especialmente pernicioso quando se aplica a uma pessoa acima da média e, ao mesmo tempo, sem integridade. Warren Buffett, em uma de suas declarações bastante objetivas, descreve a própria experiência: "Procuro três coisas ao contratar pessoas. A primeira é integridade pessoal, a segunda é inteligência e a terceira é nível de energia. Se você não tiver a primeira, as outras duas vão matá-lo".

Pense nisso! Em alguns casos, ter dois desses três é suficiente, mas não no que se refere à integridade. A ausência dela combinada à inteligência e à energia produz líderes tóxicos.

Caroline Rochon, autora e treinadora no Canadá, contou-nos que precisou "lidar com um bom número de chefes tiranos". Então lhe perguntamos o que ela fez para suportar. Caroline disse que aprendeu a assumir responsabilidade pelo próprio bem-estar e a se perguntar como ela estava contribuindo para a situação. Ela disse que levou anos para compreender quatro maneiras diferentes de se expressar:

> Quando eu reagia de maneira passiva, simplesmente deixava o chefe tirano conseguir o que queria, causando um impacto negativo sobre minha saúde mental e física.
>
> Quando reagia de forma agressivo-passiva, reclamava com os colegas, contribuindo para o ambiente venenoso, ou simplesmente pedia demissão.
>
> Quando me equiparava à agressividade do chefe e entrava em uma competição de gritos, alimentava o fogo e só piorava as coisas.

É claro que essas três reações estão na lista de Caroline do que não fazer. Em contrapartida, ela diz o seguinte sobre a quarta opção: "A maior lição é o que aprendi a fazer recentemente: ser assertiva em conhecer meus limites e valores e comunicá-los com calma e clareza".

Diante de um chefe brutal, pode ser difícil ser calmo e claro e manter certa distância emocional. Para conseguir essa tranquilidade e um pouco de objetividade, podemos refletir em alguns dos fatores que levam as crianças a crescerem e se tornarem tóxicas. As causas são inúmeras e complexas, mas a descrição de Joe Cavanaugh acerca de sua infância, no livro *The Language of Blessing* [A linguagem da bênção], chamou nossa atenção por ser representativa de algumas delas:

> Meu pai tentava ser um bom homem, mas ele tinha problemas com alcoolismo e excesso de raiva. Às vezes ele sentia tamanha ira que se tornava fisicamente abusivo e exigia perfeição. Também tinha transtorno bipolar. Calculei que, ao sair de casa aos 20 anos de idade, eu já havia ouvido mais de dez mil declarações de crítica da parte dele, e nenhuma palavra de afirmação.

É muita crítica! Cavanaugh conta que seu pai acreditava que elogiar o filho o levaria a desistir de melhorar e, por isso, descarregava grandes doses do contrário.

Muitos no lugar de Cavanaugh teriam se tornado pessoas tóxicas, mas ele descobriu algo que o transformou em um líder com forte empatia pelos outros: aprendeu que não precisava agradar o pai. Aprendeu a receber as bênçãos de Deus e a aprovação das pessoas. Ele conta uma pequena história sobre local de trabalho, que mostra o poder de reconhecer o valor de cada um.

Na hora do almoço, sua amiga Mary se sentou com Betty, colega de trabalho evitada por todos por ser rabugenta e desagradável. Enquanto comiam suas saladas, Mary começou a pensar nas capacidades e na diligência de Betty. Decidiu então contar como ela as apreciava. Betty começou a chorar, dizendo que fazia muito tempo que ninguém lhe dizia algo de bom.

Mary descobriu que Betty tivera uma experiência difícil. Durante a infância, havia cuidado da mãe doente e agora cuidava do marido, enfermo demais para trabalhar. Ela se sentia sobrecarregada e presa. As palavras de afirmação de Mary e a paciência para ouvir tiveram influência profunda sobre Betty.

A verdade é que existem muitas pessoas como Betty, sedentas por um gole de afirmação e apreço. Em uma situação tóxica, é fácil se concentrar no que envenena ou até mesmo paralisa sua energia e seu espírito, mas ajudar os outros pode fazer o corpo e a alma respirarem.

Há um antigo relato sobre três homens, um dos quais ferido, perdidos em uma nevasca em temperaturas abaixo de zero. Desesperado para sobreviver, um deles deixou os outros dois, dizendo que nunca conseguiriam sobreviver se ficassem ajudando o ferido. Posteriormente, os dois que permaneceram juntos tropeçaram no cadáver daquele que os havia abandonado. O calor dos corpos trabalhando juntos os manteve vivos, mas o homem sozinho só podia contar com o calor do próprio corpo.

Todos nós precisamos de apoio, tanto no ambiente de trabalho como fora dele. Quando damos e recebemos, temos uma chance muito maior de sobreviver.

Questões para debate

- Quando você pensa em um chefe tóxico, que características lhe vêm à mente?
- O que você acha da ideia de fazer críticas construtivas a seu chefe?
- Você consegue se visualizar confrontando um chefe maldoso?

Líderes eficazes não dizem "eu".
Não pensam em termos de "mim".
Eles pensam em "nós", na "equipe".
Entendem que é seu papel fazer a equipe funcionar.
Aceitam a responsabilidade, mas quem recebe
os créditos é o coletivo. É isso que gera confiança e
o capacita a concluir a tarefa.
PETER F. DRUCKER

Todo mundo tem uma placa invisível, pendurada
no pescoço, que diz: "Faça-me sentir importante".
Nunca se esqueça disso ao trabalhar com pessoas.
MARY KAY ASH

Os líderes de sucesso entendem que nem todos se
sentem valorizados pelas mesmas razões que eles.
PAUL WHITE

3

TESTE DE REALIDADE: ÓTIMOS LUGARES ONDE TRABALHAR

Como construir uma cultura corporativa positiva?

O contraste aumenta a percepção. Um carro salpicado de lama ao lado de outro que acabou de ser lavado revela o que o veículo sujo poderia vir a ser. Temos uma visão realista das organizações tóxicas quando as contrastamos com excelentes empresas.

Por exemplo, Marcus nos contou sobre as diferenças entre dois lugares onde trabalhou. Após o ensino médio, ele conseguiu emprego em uma pequena empresa de material elétrico na qual os outros dois funcionários eram alcoólatras e o patrão "xingava os empregados do começo ao fim do dia". Marcus odiava ir trabalhar e diz que, se não tivesse encontrado outro emprego, acabaria abusando do álcool como os colegas.

Em contrapartida, quando Marcus se reuniu com a comissão de contratação da empresa onde agora trabalha, o diretor lhe disse: "Nossa tarefa é garantir seu sucesso. Se você for bem-sucedido, nós também seremos". Ao longo dos onze últimos anos, Marcus tem vivenciado aquilo que chama de "um ambiente maravilhoso de apoio que promove o sucesso".

Infelizmente, as organizações tóxicas são as que mais viram notícia. A todo instante, a mídia enche o público de relatos de ganância e exploração. Com isso, as pessoas acreditam que quase todos os executivos são egocêntricos e sem princípios. Contudo, não é nem um pouco difícil identificar líderes com postura forte e positiva.

O executivo Craig, que representa os produtos de sua empresa em vários estados do país, nos diz que se sente feliz por trabalhar em uma atmosfera de confiança mútua, na qual os funcionários são valorizados, ouvidos e recebem um pagamento justo. Ao longo dos últimos anos, com as mudanças e a recessão no mercado, que impuseram pressões extremas sobre a companhia, ele passou a valorizar ainda mais sua estabilidade e integridade.

Como a empresa dele resistiu à tentação de deixar de lado suas crenças a fim de sobreviver em um mercado de trabalho em erupção? Craig descreve o quadro para nós:

> Tudo começa com nosso CEO. Ele tem consciência de que três mil funcionários dependem dele e presumem que nossa organização viverá à altura de seus professos valores. Temos liberdade para trabalhar "da melhor maneira que funcionar para você". Isso é maravilhoso! Ouvimos: "Descubra o que funciona com base em seu conjunto de habilidades e vá em frente". Estou na Costa Oeste, e aquilo que funciona para mim e meus colegas de equipe não daria tão certo nos escritórios da Nova Inglaterra. Nossos líderes não fazem microgerência.
>
> A verdade é que um de nossos vice-presidentes foi dispensado no mês passado. Era característica dele microgerenciar as coisas; sim, ele era organizado e, em alguns aspectos, um líder eficiente e uma boa pessoa, mas não conseguia deixar de tentar controlar tudo. Durante anos, os líderes o ajudaram, mas, por fim, nosso compromisso com a liberdade para as pessoas crescerem e fazerem as coisas do próprio jeito conflitou com a microgerência que lhe era peculiar. A gota d'água aconteceu quando um de seus melhores subordinados diretos pediu demissão por esse motivo.
>
> Nossos líderes tomaram a difícil decisão de dispensá-lo com cuidado e compaixão. Embora esse seja sempre um processo doloroso, abre espaço para alguém que se encaixe com mais naturalidade na função.
>
> Tudo gira em torno de nossa cultura de confiança. Na área de vendas, sempre surgem questões nebulosas. Dois terços de

> meu trabalho consistem em vender o valor da companhia. Por isso, optar pelo caminho mais nobre acaba compensando, pois os clientes confiam em nós. Quando a ética fica confusa e digo à minha chefe: "Não me sinto confortável com isso", ela me apoia, mesmo que isso signifique perder a venda.
>
> A confiança é tão importante para nós que a empresa criou uma linha direta para assuntos de ética e, se virmos alguma coisa que passa dos limites, podemos telefonar. Mas nunca precisamos usá-la.

Quando a ética fica confusa e digo à minha chefe: "Não me sinto confortável com isso", ela me apoia, mesmo que isso signifique perder a venda.

Falando sobre integridade e confiança, conversamos com o reitor de uma faculdade sobre um jovem executivo que foi promovido para liderar sua organização, mas encontrou resistência por parte da equipe profissional. O presidente observou: "Ele precisa ler *O poder da confiança*, de Stephen Covey. Sem a confiança dos funcionários, sua liderança sempre será questionada".

O livro de Covey afirma que o poder acontece quando as pessoas confiam de verdade umas nas outras. Ele considera a confiança um "ativo pragmático, tangível, que você pode pôr para funcionar" e a considera o único elemento capaz de mudar tudo.

Craig nos contou que vê isso em todos os níveis de sua empresa:

> Em nossa conferência nacional, ouvimos o seguinte: "Queremos que vocês conquistem seus sonhos. Apoiamos vocês na esfera pessoal. Se estiverem realizados, ambos seremos beneficiados". Nos fins de semana, um de meus colegas recicla *skates* antigos, transforma-os em mesas e os vende. E, como ele faz bem seu trabalho, a companhia o apoia. Mas conheço outras instituições que comunicam: "Somos seus donos".

Vi uma ilustração disso ao conversar com o gerente de uma pequena empresa. Ele mencionou que uma funcionária fundamental estava indo embora para correr em busca do sonho de estudar medicina. Ele estava bravo e fez comentários ressentidos a respeito dela.

"Você deveria estar feliz por ela", eu lhe disse. Ele reagiu com algo impublicável. A única coisa em que conseguia pensar era na perda que tivera.

Nunca li, em toda a literatura sobre administração de empresas, que a abordagem controladora do tipo militar consiga resultados melhores. É exatamente o contrário! Todos nós recebemos do CEO a mensagem de que as pessoas são genuinamente mais importantes do que nosso valor no mercado de ações. Ele nos faz sentir parte de seu time. A permanência média em nossa empresa é de 24 anos.

* * *

Excelentes ambientes de trabalho de um lado, lugares tóxicos do outro... e talvez a maioria dos outros locais situe-se no meio do caminho — é grande a variação e, felizmente, há muitos lugares bons. Todos os anos, a revista *Fortune* lista as cem melhores empresas onde trabalhar, e o *site* <greatplacetowork.com> cita organizações de pequeno e médio porte que têm esse mesmo perfil. A organização Best Christian Workplaces [Melhores Locais de Trabalho Cristãos] compila uma lista anual própria. A revista *Working Mother* [Mãe trabalhadora] até subdivide o tema, citando as melhores empresas para mulheres multiculturais. Embora as melhores organizações enfrentem os mesmos desafios das mudanças que abalam o mercado, da discórdia social e de leis governamentais complicadas, elas persistem na busca pelas melhores práticas e, ao menos, tentam tratar os funcionários com respeito.

É claro que também é possível encontrar listas das "piores empresas onde trabalhar", descritas como locais que "estão sempre tornando os trabalhadores em pessoas infelizes".

Livros como *Empresas feitas para vencer*, de Jim Collins, e muitos outros mostram como valores corporativos positivos resultam em ganhos para todas as partes. Algumas das melhores obras são escritas por líderes eficazes. Livrarias e *sites* listam centenas de recursos desse tipo, e alguns de nós os consideramos inspiradores, práticos e instrutivos.

No entanto, é justificável perguntar: com todos esses autores e líderes incentivando a integridade, por que as pesquisas revelam que a maioria das pessoas desconfia muito dos líderes, qualquer que seja a área de atuação? Aliás, por que este livro que você está lendo, sobre ambientes de trabalho que fazem mal, precisou ser escrito? Será que esses livros sobre liderança que vendem milhões são comprados e, depois, ignorados?

Uma resposta é que os que mais precisam dessa literatura são justamente os que a ignoram.

A boa notícia é que muitos bons líderes leem livros, aprendem em seminário, constroem uma rede de relacionamento entre si e administram organizações saudáveis. Assim, todos os princípios e compromissos são de fato transmitidos para os colaboradores que criam produtos e atendem os clientes.

Uma das ilustrações mais intrigantes a esse respeito se encontra na história de certo homem, funcionário novo na rede de cafeterias Starbucks. Em meio ao desespero, um executivo esgotado, sem nenhuma perspectiva, aceitou um emprego nessa organização e acabou limpando banheiros. Ele escreveu um livro sobre suas experiências, com o improvável título *Como a Starbucks salvou minha vida*.

Sério? Parece exagero. Mas descobrimos que o título se encaixa muito bem com a história.

Michael Gill cresceu com muitos privilégios. Era filho de ricos nova-iorquinos. Depois de se formar na faculdade, começou a trabalhar na J. Walter Thompson, a maior agência de publicidade do mundo na época. Ele se empenhava. Chegava cedo e ficava até tarde no escritório em Nova York e, por isso, logo começou a ser promovido com frequência. Quando se tornou vice-presidente e diretor executivo do setor de criação, sua carteira de clientes incluía Ford,

Christian Dior, IBM e a marinha dos Estados Unidos. A JWT criou a icônica frase "We're looking for a few good men" ["Estamos em busca de uns poucos homens bons"]. Na sala de guerra do Pentágono, Gill fez uma apresentação à junta dos chefes de equipe que lhe rendeu a publicidade da parte de recrutamento do Departamento de Defesa. Ele era leal, trabalhava por muitas horas e sempre estava pronto a ajustar sua agenda para atender um cliente. Certo Dia de Natal, assim que seus filhos pequenos haviam acabado de desembrulhar os presentes, recebeu uma ligação da Ford. Ele os deixou em lágrimas e pegou um voo para Detroit, a fim de filmar um comercial.

Após 25 anos, um novo dono da JWT tomou medidas para aumentar a margem de lucro e Gill foi dispensado.

Ele tentou a carreira de consultor, mas o trabalho minguou e sua vida foi ficando cada vez pior. Perdeu a esposa, a casa enorme e, um dia, em seu terno de risca de giz da Brooks Brothers, se viu falido em um Starbucks, tomando um *latte* que não tinha condições de pagar. Uma jovem negra, com uniforme da cafeteria, lhe perguntou se ele queria um emprego. O nome dela era Crystal e ela se tornou sua chefe, alguém do tipo que não tem tempo para frescuras e mostra como é que se faz.

A história de Gill parece um romance, no qual ele conta como a gerente Crystal e os outros colegas implementavam dia após dia os princípios da Starbucks. Quais eram eles e como salvaram sua vida? Ele conta tudo no relato, mas os valores-chave eram o trabalho em equipe e o respeito mútuo.

A ideologia da Starbucks também é explicada por seus líderes. Howard Schultz, que comanda a empresa, é bastante abordado pela mídia e também escreveu livros, inclusive um intitulado *Em frente! Como a Starbucks lutou por sua vida sem perder a alma.*

Que título relevante! A competição entre a sobrevivência e a alma retrata o duplo desafio enfrentado pelas organizações.

Com constantes rupturas e reviravoltas, a luta pela sobrevivência é uma realidade e, em meio a redemoinhos ameaçadores, muitas vezes os valores são ignorados. Schultz elevou o padrão para combater o bom combate. Ele e os colegas enfatizam que as pessoas vêm em primeiro lugar. Eles rejeitam o pensamento empresarial inferior de curto prazo insistindo que tempos difíceis exigem que se faça o máximo pelos trabalhadores e que não se pode "aposentar no sucesso". Os tempos difíceis exigem "o dobro de cuidado pelas pessoas".

Em uma organização tão grande quanto a Starbucks, certamente há funcionários com dores e mágoas pessoais. Mas vemos, na experiência de Gill, que a ávida preocupação dos líderes no topo da hierarquia é transmitida para os gerentes e funcionários que atendem os clientes. Schultz afirma que um ótimo negócio é aquele que tem consciência e insiste que "é possível ser bom fazendo o bem".

Pense nisso! A opção entre crer na declaração de Schultz ou rejeitá-la pode ser a linha divisória entre as organizações determinadas a empoderar e contribuir, em contraste com aquelas que exploram os funcionários, só pensam na margem de lucro e, em última instância, exploram a sociedade.

* * *

O que é necessário para liderar uma organização com alto índice de eficiência? Não é preciso um MBA. A história a seguir, do executivo Kevin, ilustra como um "cara comum", com caráter sólido e preocupação autêntica pelos membros de sua equipe, pode criar um local onde as pessoas prosperam e coisas importantes são realizadas.

> No início de minha carreira, entrei para uma empresa liderada por um homem dinâmico, com baixo nível de escolarização. John era um bom ouvinte, decidido, engraçado e extremamente íntegro. Ele não precisava colar os "Dez mandamentos da boa liderança" na parede. Já os vivia naturalmente.

Quando viajávamos juntos, eu nunca sentia que estava com "O Chefe". Em vez disso, trabalhava ao lado de alguém com quem compartilhava valores. Ele inspirava meus colegas de trabalho e a mim a sermos os melhores que podíamos. Não temia críticas. Pelo contrário, recebia de bom grado opiniões sobre sua liderança.

Uma vez, na estrada, estávamos conversando sobre uma situação negativa com um funcionário e ele disse: "Se Steve não está se divertindo no trabalho, talvez ele não seja a pessoa certa para fazer parte de nossa equipe. Sem diversão, o trabalho leva ao tédio e à negatividade".

Aquilo acendeu uma lâmpada em minha mente. À medida que fui promovido e me tornei vice-presidente, sempre procurei maneiras de introduzir um pouco de diversão para neutralizar uma situação ruim ou nos ajudar a passar por tempos difíceis. Considerava um bom uso do tempo e dinheiro da empresa o fortalecimento de nossa equipe por meio de atividades divertidas, como uma partida esportiva juntos ou simplesmente sentar e conversar. Tentava tratar todos como colegas em pé de igualdade, assim como John sempre havia me tratado.

Todos nos beneficiamos de sua liderança. Com o trabalho conjunto de toda a companhia, as vendas aumentaram em oito vezes num período de dez anos. Nada mal!

Poderíamos descrever muitos outros ambientes de trabalho que se encaixam nas categorias "bom" e "ótimo", bem como falar de seus líderes, mas talvez a forma realista de concluir este capítulo seja destacando mais uma vez que o trabalho costuma ser difícil e que isso é verdade até mesmo nos melhores lugares. Considerando a realidade da natureza humana, costumamos reagir de maneira negativa a menosprezos e frustrações. É preciso força de vontade para apresentar uma reação positiva.

Hannah trabalha em um consultório de quiropraxia cuja atmosfera ela descreve como calorosa e receptiva, um ótimo local onde trabalhar. Mas ela admite que é muito fácil permitir que atitudes negativas se instalem. As exigências dos pacientes a irritam. Pessoas com personalidades difíceis azedam seu dia e, às vezes, ela odeia vê-las entrando pelo portão para receber tratamento.

Quando ela nos contou como mudou isso, estava com um sorriso no rosto:

> Um de meus pacientes regulares me incomodava demais. Ele parecia um saco de batata, nunca fazia nada. Eu perguntava: "Você foi visitar sua irmã em Chicago?". Ele não tinha ido. Eu dizia: "Você deve fazer alguma coisa", mas ele não fazia.
>
> Eu sabia que minha atitude em relação a ele e a vários outros precisava mudar. Foi então que o conselho de meu pai me veio à mente. Enquanto eu crescia na fazenda, reclamei que nosso funcionário Stanley era muito estranho, e meu pai alertou que sempre é possível encontrar algo de positivo em uma pessoa — até mesmo em Stanley.
>
> Mas o que eu poderia achar de positivo naquele paciente irritante?
>
> Por mais bobo que pareça, este pensamento me veio à mente: ele tem um nariz bem bonito!
>
> Dou risada ao contar isso e, para falar a verdade, virou piada no consultório — o cara do nariz bonito. Mas ele cresceu em meu conceito. Era observador e fazia perguntas interessantes. Não curtia a vida, mas essa era uma escolha dele. Aprendi a apreciá-lo.
>
> Embora eu cultive atitudes positivas, os incômodos acontecem naturalmente e fico muito chateada quando alguém faz algo maldoso ou degradante. Nesses momentos, repito para mim mesma: "Obrigada, Senhor, por não ser casada com essa pessoa! Não preciso lidar com ela. Posso ir para casa e viver minha vida real e feliz". Manter uma atitude sadia requer consideração e força de vontade, mas faz meus dias de trabalho serem muito mais agradáveis.

Estratégias de sobrevivência

Cresça com as mudanças. Muitos de nós estão cansados de ouvir esse mantra, sobretudo quando precisamos lidar com mudanças que destroem aquilo que nos é mais importante. Contudo, a aceleração implacável das mudanças requer flexibilidade, quaisquer que sejam nossas habilidades e funções. Movemo-nos rapidamente rumo ao futuro, e o futuro logo será muito diferente. Assim como um imigrante em uma terra de costumes e idioma estrangeiros, precisamos nos adaptar o tempo inteiro e cultivar uma mentalidade que preserve tanto nossa integridade quanto nossa capacidade de contribuir.

Não seja cego. Em um bom ambiente de trabalho, será que você necessita de estratégias de sobrevivência? Sim! Diretores e chefes mudam, papéis e relacionamentos são alterados e sempre existe um colega incômodo, que faz tudo errado e culpa você. Oswald Chambers declarou aquilo que chamou de ponto pacífico: "A vida sem guerra é impossível". Ele descreveu a saúde como "ter vitalidade suficiente do lado de dentro para combater as coisas de fora". Assim como nosso corpo combate germes, ao longo da vida precisamos lidar com todo tipo de "fatores letais". Chambers afirma que precisamos reunir força espiritual para "superar as coisas que vêm contra nós", uma maneira interessante de reagir com vitalidade aos ataques ou reveses inesperados.

Permaneça alerta. O capítulo 7, "Descida para o lado sombrio", retrata um fenômeno surpreendentemente comum entre os bons — e até os ótimos — ambientes de trabalho, algo que, às vezes, acontece rápido. Por exemplo, um amigo nosso construiu um conglomerado multibilionário e transmitiu o título de CEO ao filho, que prontamente demitiu vários dos gerentes seniores escolhidos a dedo pelo pai. As ações da companhia afundaram, e seus milhares de funcionários se viram em meio à confusão. O caos pode surgir de repente em lugares improváveis, e as pessoas que conseguem sobreviver às tempestades são as mais bem preparadas mental e espiritualmente.

Encare o desemprego. Em seu livro, Michael Gill insiste que o trauma de perder o emprego, devastador na época, acabou sendo a melhor coisa que já lhe ocorreu. O desemprego pode ser difícil ou até mesmo catastrófico, mas acontece.

Esteja você em um ambiente de trabalho positivo ou explorador, reúna coragem e prepare-se para analisar quais serão os próximos desafios, a aventura seguinte.

Lições de liderança

O que torna alguém um grande líder? Jim Collins analisou a pesquisa feita para seu livro de sucesso *Empresas feitas para vencer* e ficou, em suas próprias palavras, chocado. Ele descobriu que os CEOs que conquistaram "resultados extraordinários" não eram movidos pelo ego; pelo contrário, tiravam o foco de si mesmos. Eles aliavam "extrema humildade pessoal" a "resolução intensa", canalizando as necessidades do ego para longe de si, rumo a um objetivo mais amplo. Collins disse, durante entrevistas, que eles declaravam coisas do tipo: "Não posso levar todo o crédito. Somos abençoados por contar com pessoas maravilhosas".

A descoberta de Collins estava fresca na mente do coautor Harold Myra quando este disse a Billy Graham que queria escrever um livro sobre a liderança do evangelista. A resposta de Billy foi surpreendentemente semelhante à dos entrevistados de Collins. Ele desviou o crédito de si, atribuindo-o a outros e à sua equipe.

Poucos pensam em Billy Graham como um CEO, mas ele inicia sua autobiografia falando sobre suas pesadas responsabilidades como grande executivo de sua organização. Muitos consideram a liderança de Graham realmente extraordinária, mantendo unida sua equipe original por mais de meio século, com resultados internacionais notáveis. Em *The Leadership Secrets of Billy Graham* [Os segredos de liderança de Billy Graham], livro que trata dessa liderança, Harold dedicou um capítulo inteiro à "redenção do ego", dinâmica central à eficácia de Graham.

Em contraste, após *Empresas feitas para vencer*, Collins escreveu *Como as gigantes caem*. O que o autor identificou, em sua pesquisa, como fator que desencadeia, com mais frequência, o início da queda das grandes corporações? O primeiro passo para o fracasso é o que Collins chama de insolência e arrogância. Com elas, a organização pode despencar rapidamente ladeira abaixo.

Você faz parte de uma organização boa ou até mesmo ótima? Boa parcela da mágica provém da humildade dos líderes, aliada à intensidade, à submissão do ego a serviço da causa. Pode parecer irônico que os líderes das melhores empresas sejam homens e mulheres humildes; todavia, a humildade é, em alguns aspectos, tão essencial à liderança excelente quanto a inteligência e a energia.

Isso quer dizer que, ao contratar alguém, é vital encontrar maneiras de combinar maturidade psicológica e espiritual às exigências da função. Uma pessoa com grande capacidade pode se tornar um péssimo líder — e sua maior dor de cabeça!

Se você faz parte de uma ótima empresa e a lidera com eficiência, isso se deve muito à cultura ali estabelecida. Um estudo sobre executivos da IBM descobriu que, frequentemente, excelentes colaboradores que saíram para trabalhar em outras companhias não conseguiram repetir o sucesso em suas novas empresas. A humildade apenas reflete a realidade do que uma pessoa é capaz de fazer sozinha. Ela liberta os líderes da falsa arrogância, enfatiza a importância dos outros, inspira e energiza a equipe.

Questões para debate

- Você acha que a eficiência de um líder depende do fato de ele ser confiável ou não?
- Você conhece (ou já trabalhou para) um líder verdadeiramente bom? Quais das características dele impactaram sua vida?
- Independentemente de ocupar ou não um cargo de liderança, em que aspectos você deseja crescer a fim de se tornar um funcionário mais eficiente?

A confiança é um bem frágil.
Conheça seu código de conduta e
os valores que você representa.
Lembre-se: se você não se sentir à vontade
para explicar suas ações em um programa
de entrevistas na televisão,
então não as execute.
TERRY PAULSON

O líder lidera; o chefe obriga.
THEODORE ROOSEVELT

Alcançar grandes realizações não importa muito
se todos que o ajudaram a chegar lá morrerem
ao longo do caminho.
PAUL WHITE

4

VENENOS OCULTOS EM ORGANIZAÇÕES SEM FINS LUCRATIVOS E IGREJAS

Sordidez e disfunções podem corromper silenciosamente uma boa missão

As organizações sem fins lucrativos são criadas para fazer o bem, e as igrejas, para ministrar à congregação e ajudar as pessoas. Para o mundo em volta, elas projetam doçura e luz, mas, às vezes, seus funcionários vivenciam justamente o contrário.

A fim de contextualizar este capítulo de maneira adequada, apressamo-nos em dizer que nós, os três autores deste livro, já trabalhamos com muitas organizações confessionais e líderes ministeriais. Com raras exceções, eles despertam em nós o mais profundo respeito. Vimos muitas situações tristes e confusas, mas, na maioria das vezes, nos envolvemos com igrejas e organizações sem fins lucrativos nas quais havia autêntica liderança servidora e integridade pessoal.

Ao mesmo tempo, a realidade da condição humana torna os problemas encontrados dentro dos ministérios algo que não surpreende. Assim como em outras organizações, os ministérios são liderados por todo tipo de indivíduos. Em outras palavras, as pessoas são humanas. Alguns são salafrários que conscientemente fraudam e exploram a fé sincera de adeptos e membros da equipe. Com mais frequência, porém, trata-se de simples incompetência e do Princípio de Peter, ou de líderes com elevada capacidade que lutam com inseguranças e fraquezas, ou ainda de motivos mistos.

Quaisquer que sejam as causas, as disfunções incluem muitas formas de acobertamento, a fim de que sejam mantidas longe do conhecimento dos membros. Os apelos à "causa" criam pressão para que as pessoas se conformem a códigos prejudiciais. Os venenos dentro de culturas ministeriais variam desde gases sutis, que deterioram devagar, até chamas causticantes. Alguns trabalhadores sofrem em silêncio durante anos, ao passo que outros são demitidos.

Conversamos sobre isso com Lee, ex-pastor administrativo de uma megaigreja com ambiente de trabalho tóxico. O retrato que ele pintou foi este:

> Nosso líder era extremamente egocêntrico e narcisista. Ele controlava e microgerenciava. Todas as informações precisavam passar por ele. Havia a expectativa de que disséssemos as coisas certas com as palavras certas, exalando verdade e agindo de forma saudável quando isso não correspondia à realidade. Dedicava-se mais energia para criar e manter a imagem do que para resolver problemas e criar realidades positivas.
>
> Meu chefe disfarçava o controle que exercia sobre mim enviando mensagens do tipo "Eu me importo com você". Quando eu sabia que ele estava prestes a explodir, ele passava e dizia algo positivo para me manter engajado. Eu o via tratar bem jovens líderes apenas para torná-los receptivos a seus métodos de dominação. Contudo, nem todo controle era discreto. Ele dizia coisas como: "Você é um idiota!", ou exigia: "Ligue para ele e diga quanto ele é imbecil".
>
> A incoerência entre a realidade e a imagem retratada era imensa.

Outro pastor que hoje lidera uma pequena e saudável congregação atuou no passado em uma grande igreja cujo topo da liderança apresentava problemas semelhantes. Steve estudou tanto teologia quanto psicologia e, ao contar sua história, foi aberto e objetivo. Ele não é uma pessoa nervosa, mas teve todos os motivos para ficar furioso com o tratamento que recebeu.

A grande igreja onde atuava fora duramente golpeada por problemas financeiros. Por isso, foi recrutado um novo pastor sênior, que encontrou maneiras de resolver as questões das finanças. Isso deu ao novo líder credibilidade entre a congregação e o conselho, mas não entre a grande equipe que precisava trabalhar sob sua chefia. Nenhuma das coisas positivas proclamadas nos sermões de domingo chegava até Steve. Veja o que ele nos contou:

> Outro membro da equipe e eu éramos responsáveis pelo louvor, mas nunca recebíamos *feedback* construtivo. Se fazíamos alguma coisa errada, a reação era o silêncio. Éramos deixados por conta própria.
>
> Certa vez, pediram que fizéssemos uma lista de nossas responsabilidades, com a estimativa de horas trabalhadas. Minhas funções totalizavam entre setenta a oitenta horas, mas não houve nenhum retorno, a não ser: "Faça tudo". Quando levávamos algum problema ao pastor executivo, ele afirmava que conversaria com o pastor sênior, que raramente retornava o contato. Concentrado em controlar tudo na igreja, esse pastor sênior usava a culpa para motivar as pessoas.
>
> Duas vezes, em reuniões da equipe, o pastor sênior disse o seguinte acerca da diminuição do número de membros: "Tenho pensado muito a esse respeito e sei que o problema não está comigo". Em outras palavras, o problema de crescimento era de nossa responsabilidade. Lidávamos a todo instante com uma liderança passivo-agressiva; em uma semana, ouvíamos que tudo estava em ordem e, na seguinte, que as coisas não andavam bem e que precisávamos fazer tudo diferente.
>
> Considerava-se que todos da equipe estavam lá para cuidar dos dois líderes. Eles pediam que fizéssemos de tudo, mas recebiam todo o crédito. Era preciso vender a alma para a função. Enfatizavam que devíamos estar dispostos a cair sobre a própria espada para manter o funcionamento da organização e esperavam que distorcêssemos a verdade.
>
> Em nossa atmosfera religiosa e teológica, isso acrescentava mais um nível de vergonha.
>
> Em alguns dias, eu mal conseguia trabalhar. Comecei a procurar um novo emprego e entrei em contato com um pastor sênior que me fez apenas quatro perguntas. Depois de ouvir minhas respostas, ele disse: "Cara, você está em um lugar horrível. Vocês vão entrar com tudo dentro dessa situação e ela vai explodir de volta bem na cara de vocês".

Ele estava muito certo! Continuei procurando outra oportunidade, mas minhas energias estavam lá embaixo. Eu me sentia congelado. Não sabia como pedir demissão, mas sabia o que fazer para ser demitido. E foi exatamente isso que aconteceu um ano e meio depois.

O pastor executivo me disse: "Se as pessoas abandonarem a fé por causa disso, a culpa é sua".

No dia em que saí, tive uma conversa dolorosa e exasperadora com o pastor executivo. Ele me disse: "Se as pessoas abandonarem a fé por causa disso, a culpa é sua. Você é arrogante". Ele colocou toda a responsabilidade sobre mim.

Steve sabia que os líderes da igreja e seus colegas não concordariam com as acusações, mas ouvir aquele julgamento face a face foi avassalador. Ele vivia naquele "lugar horrível" havia tempo demais, e realmente tudo explodira em sua cara. Chegou em casa desmoralizado.

Um bom amigo calhou de passar por ali, viu o desalento de Steve e perguntou o que havia acontecido. Steve contou que fora demitido e mencionou as coisas que ouvira.

O amigo sabia muito bem tudo que Steve vinha enfrentando. Steve se surpreendeu com a enfática reação do colega:

Ele me olhou nos olhos e disse com vigor: "Você sabe que isso é conversa fiada!".

O choque da certeza dele penetrou por minha névoa emocional. Para mim, foi como um brilhante raio de claridade. Ambos sabíamos que eu não era perfeito, mas precisava colocar aquelas acusações em seu devido lugar.

Com o tempo, superei a raiva, entendi por que aqueles pastores agiam daquela maneira e compreendi o estresse que eles vivenciavam como líderes isolados. Hoje percebo que eu fazia parte de um sistema e contribuía para suas disfunções. Eu deveria ter me posicionado, mas não conseguia pensar com clareza. Enganei-me pensando que seria capaz de mudar as coisas.

Algumas pessoas bem-intencionadas da congregação realmente se importavam comigo e disseram isso. Hoje, porém, vejo que precisava de alguém que me dissesse: "Amamos você, mas você precisa mesmo ir embora. Você está morrendo aqui dentro".

Steve descobriu que a clareza enérgica de seu amigo foi crucial para que ele recuperasse a saúde. Estudos mostram que as pessoas que identificam mentores com os quais desenvolvem relacionamentos são as mais bem-sucedidas na vida e no trabalho. Mentores sábios oferecem muitas vantagens, incluindo a objetividade — vital para a sobrevivência em culturas tóxicas.

Enfatizamos a palavra "sábia" porque nem todas as pessoas de opinião têm o dom da sabedoria. Além disso, alguns mentores tomam mais do que oferecem, e outros simplesmente usam o relacionamento para benefício pessoal.

Por exemplo, Randy, recém-formado no curso superior de administração, acreditava no valor de ter um mentor forte. Ele encontrou um que afirmava seu grande potencial. No entanto, ao longo de muitos anos, Randy trabalhou para ele em uma série de novas empresas que enfrentavam dificuldades e, por fim, falido e exausto, percebeu que estava sendo usado.

Além disso, um bom mentor pode providenciar *insights* essenciais e pontos de referência. Em nossas entrevistas e experiências, temos visto que, em situações tóxicas, aqueles que desenvolvem relacionamentos com amigos sábios têm maior probabilidade de agir rápido. Uma das grandes oportunidades da vida é desfrutar o conselho de pessoas bondosas e experientes, além de identificar relacionamentos que vale a pena cultivar.

Aqui, mais uma cautela é necessária. Um estudo revela que a maioria dos relacionamentos entre mentor e mentoreado dura apenas uma média de sete anos e, com frequência, termina em tom amargo. Necessitamos da riqueza de muitos bons conselheiros ao longo da vida e de uma atitude que favoreça tais relacionamentos. Dessa maneira, conseguimos encontrar a clareza e a resiliência de que precisamos quando as coisas saem diferente do esperado.

Steve acabou percebendo que os pastores que o magoaram tinham suas próprias lutas. O processo de cura, sobretudo após uma experiência na qual princípios fundamentais e valor pessoal são atacados, pode levar um bom tempo. Contudo, a esperança realmente é eterna e, às vezes, até a reconciliação é possível.

Um pastor executivo chamado Jason teve uma experiência muito parecida com as de Lee e Steve. Na grande e vibrante igreja onde ministrava, o estilo de liderança autocentrado do pastor sênior levava a equipe ao limite. Jason e a maioria dos outros pastores pediram demissão, e o número de membros caiu muito. Por fim, o pastor sênior também foi embora.

Jason nos contou:

> Demorou cerca de um ano até eu estar pronto para me reconciliar com o pastor. Mas, quando isso aconteceu, foi uma das coisas mais recompensadoras que já fiz. Ao abraçá-lo, eu disse: "É provável que nunca mais nos encontremos deste lado do céu, mas não quero que nenhum de nós ande por aí pelo resto da vida apegado à amargura e à mágoa". Fui embora surpreso com o novo nível de humildade e transparência da parte dele. Foi uma experiência de cura.

* * *

A inevitável metáfora do tão citado sapo a cozinhar na água que aquece lentamente se aplica a muitos de nossos entrevistados. Bill, do capítulo 1, achou que estava entrando para uma empresa com chefes amistosos e dispostos a ajudar, como havia sido aquela de que ele acabara de sair. Em vez disso, suportou dois anos de miséria debilitante. Kurt demorou para estabelecer limites. Melanie saiu antes que fosse tarde demais, e Steve finalmente seguiu em frente para um ministério frutífero. Mas uma mulher chamada Eva começou a trabalhar em um ministério que ela imaginava ser um maravilhoso local de serviço; em vez disso, porém, acabou sofrendo por longos e deprimentes vinte anos.

Esta é a história de Eva:

Achei que estava começando a profissão ideal dentro de um ministério. Eu era confiável, leal, completamente dedicada e me orgulhava ao extremo do meu trabalho e papel. Entretanto, à medida que o tempo passava, mais e mais pessoas boas deixavam a organização. Os egos com os quais precisava lidar todos os dias eram piores do que os que eu conhecera em empregos seculares, e fiquei profundamente decepcionada.

Depois de tantos irem embora, fiquei com a maior parte da responsabilidade, trabalhando muito além das quarenta horas semanais, sem pagamento adicional. Afinal, era um ministério, e isso já era esperado!

Os líderes pouco incentivavam, mas faziam críticas pesadas. Em geral, os elogios eram seguidos por um "mas". Em todas as oportunidades, eu era menosprezada. E por quê? Eles imaginavam que eu não chegaria a lugar nenhum. Minha autoestima ficou abalada, e eu me sentia sem valor. Os anos se arrastavam.

> Hoje trabalho em um ambiente secular maravilhoso e nunca estive tão bem.

Perseverei, mas notei uma mudança em minha personalidade. Minha fé vacilava, a confiança nas pessoas estava comprometida e eu não tinha alegria. Sabia que deveria haver algo melhor para mim.

Mantive olhos e ouvidos atentos. Deus ouviu minhas muitas orações, e finalmente uma porta se abriu! Precisei me mudar e deixar muitos amigos para trás, mas foi a oportunidade perfeita.

Hoje trabalho em um ambiente secular maravilhoso e nunca estive tão bem. Meus colegas de trabalho são companheiros de equipe, e estamos todos no mesmo passo. Ninguém tem mais trabalho que os outros, e todos somos valorizados e recompensados de maneira justa. Meus patrões são gentis e generosos. Fazem tudo que está ao seu alcance para garantir que os funcionários sejam bem tratados. Como em qualquer organização, temos nossos problemas, mas, para mim, é como se fosse "o céu na terra". Espero ansiosa para ir ao trabalho! E a melhor parte é que as pessoas percebem a diferença. Elas me dizem como eu pareço feliz agora.

> Eu não fazia ideia de que minha falta de alegria era tão evidente.

Os jovens e inexperientes, assim como Eva quando iniciou no ministério, são os que mais se deixam cegar por uma liderança tóxica. A princípio, eles não se dão conta de quanto estão feridos, e a aceitação da cultura nociva limita sua capacidade de partir para ações positivas.

Tony cursava o último ano da faculdade e achou que havia encontrado o estágio ideal no ministério de jovens de uma grande igreja. Ele chegou animado com o ministério e com a ideia de trabalhar com os mais novos, mas, logo de imediato, ficou claro que algo estava errado. O pastor sênior responsável pelo grupo da mocidade não se dava bem com sua assistente e parecia tentar deixá-la de fora. A equipe não tinha nenhum senso de missão.

Tony nos conta:

> Eu me tornei o passe para que o pastor de jovens ficasse de folga durante o verão, e recebia tarefas irrelevantes para fazer. Quando fui absolutamente maltratado sem motivo, o líder que deveria me defender não fez nada. Os nove meses de estágio foram devastadores. Voltei para casa deprimido, terminei com minha namorada e passei a questionar a fé. Na juventude, não conseguia processar aquela experiência e fiquei profundamente confuso.

Tony e a namorada reataram e se casaram. Hoje ele está em um emprego que ama, mas o estágio "devastador" ainda desperta emoções dolorosas. Ao lembrar-se daquela época, diz que deveria ter saído correndo em sua primeira semana ali.

Em outras situações ministeriais, a decisão entre alternativas difíceis é complicada. Um jovem pastor e sua esposa procuraram o coautor Gary e compartilharam sua história de sofrimento nas mãos de três diáconos. O moço era pastor de uma igreja em uma pequena cidade do sul dos Estados Unidos havia três anos. As pessoas o receberam calorosamente e, depois de um ano, a igreja começou a crescer. Novos membros passaram a frequentar o local, e a empolgação pairava ali.

No entanto, seis meses antes de procurarem Gary, o diácono-chefe, junto com outros dois, disseram àquele jovem pastor que achavam que era hora de ele ir embora. O pastor os ouviu com paciência e perguntou por quê. A resposta foi: "Porque não gostamos de como as coisas estão sendo conduzidas. As pessoas que estão chegando não 'se encaixam' em nossa igreja".

O jovem pastor tentou lhes explicar a missão da igreja, mas eles não concordaram com seu ponto de vista. Ao longo dos seis meses anteriores, esses três diáconos levaram a questão a todo o conselho diaconal, e mais um concordou com eles. Os outros três discordaram, defendendo o pastor.

O presidente do conselho escreveu cartas convocando a igreja a se reunir para votar se o pastor deveria ficar ou sair. A atmosfera dentro da família da fé era tensa. O que um pastor deve fazer em um ambiente como esse?

Esse pastor decidiu ir embora, dizendo: "Em minha opinião, é a melhor alternativa para a igreja e para minha família. Não quero colocar meus filhos no meio de um conflito da igreja". Gary entendeu o que se passava no coração do pastor e seu desejo de preservar o bem-estar de seus filhos, pelo que concordou com sua escolha.

Não existe resposta "certa" em situações como essa. Alguns pastores que enfrentam uma liderança tóxica decidem renunciar. Quando isso acontece, a igreja costuma perder os membros mais novos e volta a ser um pequeno grupo de pessoas com mentalidade parecida, que exerce pouco impacto sobre a comunidade. Se o pastor decide ficar, enfrenta uma série de batalhas com a oposição. Por fim, um ou outro acaba indo embora. Não raro, a igreja perde a influência sobre a comunidade.

O conselheiro Ivan não teve dúvidas ao sair de uma organização sem fins lucrativos abusiva quando percebeu quanto ela era problemática. Ele era um dos seis diretores de uma agência de serviço social e nos conta a seguinte história:

> A líder autocrática exigia lealdade intensa, sem direito a perguntas, e tinha poder para fazer o que quisesse. Era intocável. Sua atitude comunicava que a missão justificava qualquer coisa. Ela presumia o pior dos funcionários. Por exemplo, qualquer um, incluindo clientes, podia fazer uma reclamação contra alguém e, sem ouvir o lado do acusado, ela o condenava em reuniões do grupo.
>
> Os problemas de ética eram varridos para debaixo do tapete. Todos os programas locais tinham uma junta conselheira, mas éramos proibidos de conversar com seus membros. A organização estava repleta de mentiras.
>
> Ao olhar em volta, para meus colegas, percebi que o ambiente estava lhes fazendo adoecer física e psicologicamente. Para trabalhar ali, era necessário se tornar disfuncional.
>
> Para mim, o estopim foi quando um colega foi forçado a pedir demissão. Para não precisar arcar com o seguro-desemprego, a líder disse ao governo que ele havia saído por motivos pessoais. Isso era obviamente antiético. Portanto, quando os oficiais me perguntaram, falei a verdade. Pouco depois, a líder me chamou em sua sala. Ela me fez sentar e perguntou: "Você é feliz trabalhando aqui?".
>
> A verdade é que eu amava meu emprego, mas não gostava da pessoa em que estava me tornando. Não podia permitir que me tornasse disfuncional como tantos de meus colegas de trabalho. Embora tivesse dois filhos pequenos para sustentar, comecei a mandar currículos e encontrei outra posição seis meses depois.
>
> Duas semanas antes de ir embora, pedi para ver meu arquivo pessoal. A diretora controlava esses arquivos, e eu só tinha acesso a parte deles. Mas, uma semana antes de eu sair, o diretor assistente, a quem eu respeitava por se tratar de alguém que desejava fazer a coisa certa, dirigiu uma hora e meia até nossa filial para me entregar um grande pacote, meu arquivo inteiro. Descobri que estavam tramando para pôr a culpa em mim em uma situação que daria problemas com a justiça.

Ao que tudo indica, Ivan saiu bem na hora. Quando perguntamos como ele manteve a sanidade durante o tempo de trabalho ali, respondeu que tinha um bom sistema de apoio na equipe local. Mesmo em culturas disfuncionais, podem ser cultivados bons relacionamentos. Ele acrescentou que também recebia apoio na igreja e se encontrava com amigos para tomar café da manhã uma vez por semana.

Sempre que se navega por águas turbulentas, é essencial conectar-se de maneira positiva com outras pessoas. E, quando possível, chegar a um lugar saudável se torna a maior prioridade.

* * *

É importante terminar este capítulo assim como o começamos, valorizando os muitos ministérios vibrantes com os quais nos envolvemos — e com uma breve ilustração, com a qual muitos se identificam.

Wayne estava em um ministério que ele amava, realizando um trabalho que também amava. Mas, após um longo histórico de sucesso e realização, dentro de um intervalo muito curto foi atingido por uma crise pessoal dupla. Sua esposa foi diagnosticada com um quadro grave de câncer, e seu filho adolescente foi internado com uma doença mental.

Ao se arrastar de uma crise para a outra, tentando, semana após semana, cumprir todas as suas obrigações 24 horas por dia, Wayne percebeu que sua energia interior estava se esgotando. Tudo estava caindo aos pedaços — até mesmo seu emprego. Pelo menos era assim que ele se sentia, pois seu trabalho era ministrar aos adolescentes e, por isso, os problemas do filho com o abuso de substâncias ilícitas o fazia sentir-se desqualificado.

Certo dia, seu chefe o visitou e, como eles se conheciam havia anos, Wayne confidenciou a preocupação de que o aparente fracasso como pai o fazia sentir que suas falhas invalidavam seu trabalho. O chefe respondeu: "De maneira nenhuma!", e valorizou o excelente trabalho de seu funcionário, dizendo que ele não era em nada diminuído pelos problemas do filho.

Wayne levantava cedo, assim como o presidente da organização, que passou no escritório dele certa manhã antes que os outros chegassem. Pediu notícias da família e deu a Wayne um livro inspirador que o havia auxiliado em momentos difíceis.

Esses encontros com os principais líderes da organização o ajudaram a continuar trabalhando, cuidando do filho e mantendo-se firme ao longo do tratamento da esposa. Os dois líderes foram visitá-lo simplesmente por serem colegas que se importavam. Wayne sabia que a doença do filho não invalidava seu ministério, mas ouvir a afirmação enfática do chefe a esse respeito o ajudou a descansar de suas ansiedades. O livro que o presidente lhe deu se transformou em um rico recurso para os anos que se seguiram.

A esposa de Wayne superou o câncer, o filho hoje está empregado e prestes a se casar, e Wayne continua a realizar o trabalho que ama.

No mercado de trabalho, todos nós não apenas lidamos com os colegas, mas também vivemos uma mistura de alegrias e dificuldades, como câncer, acidentes trágicos e traumas com os filhos. A vida é difícil, e todos deparamos com turbulências. Quando os colegas oferecem a mão amiga e os professos valores são realmente vividos, os ministérios se tornam oásis "para o bem de todos".

Estratégias de sobrevivência

Enxergue além da neblina. Eva, Tony e Ivan são exemplos perfeitos da necessidade de ver com clareza e agir rápido. Muitas vezes, os trabalhadores têm poucos pontos de referência para entender o que está acontecendo e, em diversas ocasiões, as circunstâncias os impedem de se posicionar e se defender. Busque clareza para saber o que de fato está se passando, consulte suas bases de apoio e parta para uma ação bem pensada.

Compare com as "melhores práticas". Caso você esteja se perguntando se o que acontece em seu ambiente de trabalho simplesmente "faz parte do pacote", pesquise o que ocorre em outros lugares. Tenha uma rede de contatos para saber qual é a dinâmica em organizações semelhantes.

Seja firme. Firmeza mental e espiritual andam juntas. Aprofunde o compromisso com seus valores mais essenciais e mentalize maneiras específicas de partir para ações positivas. Leia livros como *Stress for Success* [Estresse para o sucesso] ou *Toughness Training for Life* [Treinamento de dureza para a vida], de James Loehr.

Lições de liderança

Trabalhar em um lugar que ajuda as pessoas e ouvir todo o papo sobre as boas obras da organização pode obscurecer a consciência acerca das disfunções. Poucos estudantes estão preparados para o que podem vir a enfrentar em sua profissão. Contudo, existem recursos prontamente disponíveis. Por exemplo, há muito tempo o periódico *Leadership* [Liderança] traz uma riqueza de *insights* e histórias inexoravelmente reais ligadas a ambientes de trabalho ministeriais.

Acessamos o *site* de *Leadership* e vimos que o título do artigo principal era "Fired" [Demitido]. O texto conta a história do jovem pastor Nathan Kilgore, dispensado pela igreja não por problemas de conduta, nem por ineficácia, mas, sim, por... sua atitude.

Nathan hoje admite que, além de não gostar do estilo de liderança do pastor sênior, tinha um comportamento tóxico. Esse é um caso em que o subordinado, e não o líder, contamina a água do poço. Nathan conta: "Cavei minha própria sepultura". E acrescenta: "Acho que John Maxwell está certo. Atitude é tudo".

Ele também recorda com pesar a frase que sua mãe pendurou na parede: "É melhor ficar em silêncio e deixar que os outros se questionem se você é tolo do que falar e acabar com essa dúvida". Hoje ele percebe que seu modo de pensar precisava ser completamente realinhado.

Após ser demitido, Nathan telefonou para um ex-professor a fim de contar o que havia acontecido e ficou chocado com a reação dele, que respondeu:

— Mas isso é ótimo!

Pasmo, Nathan perguntou:

— Como assim "isso é ótimo"?

— Parece que Deus está pronto para fazer algo verdadeiramente grande em sua vida.

Bem, tudo depende do que você considera grande. Nathan passou um ano ganhando pouco no trabalho pesado de cavar fossos. Ele aprendeu lições duras e conheceu uma maneira muito mais profunda de compreender vocação e atitude.

A leitura de relatos como esse nos dá muitas perspectivas de como encarar nossas circunstâncias. Às vezes, eles nos ajudam a tomar consciência de como nós mesmos estamos contribuindo para a discórdia. Em outras situações, ajudam-nos a perceber que aceitamos uma cultura doentia que não podemos mudar e precisamos estudar as estratégias de saída que outros usaram.

E, felizmente, às vezes eles nos deixam gratos por não estarmos vivenciando tantas traições, maldades diárias e humilhações que outros experimentam.

Questões para debate

- Você acha que o ambiente tóxico se manifesta de maneira diferente em uma organização sem fins lucrativos, em contraste com um estabelecimento comercial? Em caso positivo, por quê?

- Há alguém em sua vida que poderia ser seu mentor ou conselheiro? Que passos você pode dar para começar a se reunir com essa pessoa?
- Hoje você consegue perceber que uma experiência negativa no passado foi uma oportunidade de crescimento e aprendizado de lições valiosas? Se sim, o que você aprendeu?

Você não precisa ser doido para trabalhar aqui.
Pode deixar que nós o treinamos.
PLACA AFIXADA EM UMA FLORICULTURA

Para aqueles que valorizam
palavras de reconhecimento,
as críticas são como
uma faca cravada no coração.
PAUL WHITE

Para ouvir, é preciso tempo e
uma escolha consciente.
GARY CHAPMAN

5

PEQUENOS ASSASSINATOS NO TRABALHO

Quando as palavras cortam como facas e a maldade acaba com a paz

O crítico de cinema Roger Ebert, ao resenhar, em 1971, o filme *Pequenos assassinatos*, concluiu: "É um tipo de filme bem nova-iorquino, paranoico, masoquista e nervoso. Fiquei com um nó na barriga e o vago temor de que algo estava tomando conta de mim".

Às vezes, o trabalho pode ser exatamente assim, com intenções mortais, olhares dissimulados e fofocas pelos cantos. As palavras cortam. A rejeição fere. No ambiente de trabalho, a expressão "pequenos assassinatos" traz à mente a lenta destruição da alma e do espírito.

É claro que não existem *pequenos* assassinatos.

Certa vez, o falecido Henri Nowen observou: "Comunidade é o lugar onde sempre mora a pessoa que você menos gostaria que morasse ali". O mesmo se aplica ao trabalho.

Desde pequenas desavenças até discussões homéricas, os conflitos em ambientes de trabalho podem destruir organizações e envenenar o coração e a alma dos líderes e daqueles que estão no comando. Não raro, a hostilidade surge por causa de uma única crítica injusta ou de uma incompreensão isolada que cresce e se transforma em um incêndio destruidor. Após o incidente de mágoa, às vezes é possível encontrar uma forma de conter as chamas.

Amélia descobriu isso. Ela é engenheira, tem 20 e poucos anos e trabalha como projetista de equipamentos em uma grande empresa. É a mais nova de uma equipe de oito. Todos os seus colegas de trabalho são casados, têm filhos ou estão em relacionamentos duradouros. Por isso, ela sente que tem pouco em comum com eles. Amélia gosta de seu chefe, Carson, que tem 40 e tantos anos, e o respeita. Ela considerava Nancy, a outra mulher da equipe, sua mentora e tinha um relacionamento positivo com ela — até um acontecimento desconcertante:

> Fui chamada para uma reunião com Carson, Nancy e outro colega de equipe. Após alguns comentários introdutórios, Carson começou um monólogo de vinte minutos no qual criticou meu serviço. Fiquei pasma. Não fazia ideia de que isso estava por vir. Ninguém nunca expressara preocupações acerca de meu trabalho. Carson me repreendeu por pegar coisas demais para fazer e não cumprir os prazos. Disse que eu precisava estabelecer limites e terminar minhas tarefas a tempo.
>
> Como isso poderia estar acontecendo em uma reunião em grupo? Nancy e o outro colega de trabalho permaneceram em silêncio. Eu me senti magoada e envergonhada.
>
> Naquela noite, mandei um *e-mail* para Carson solicitando um tempo para conversar com ele no dia seguinte. Então passei a noite revisando meu trabalho e só descobri dois incidentes de prazos vencidos — e isso havia acontecido seis meses antes.

Amélia ficou aliviada ao descobrir que as preocupações não eram de Carson, mas, sim, de Nancy, que não soubera como verbalizá-las. Ele pediu desculpas pela abordagem inapropriada, valorizou a ética de trabalho demonstrada por Amélia e também suas contribuições à equipe.

Felizmente para Amélia, seu chefe a ouviu e a compensou. Mas ele ignorou diversos princípios básicos: tentou fazer uma comunicação indireta, atuando como porta-voz de Nancy; não verificou a veracidade das informações de Nancy; expôs as queixas em frente a um grupo de funcionários; e, em vez de perguntar com sensibilidade, dirigiu um monólogo de teor emocional que pareceu um ataque pessoal.

Amélia merece crédito por não ter simplesmente se retraído para remoer as feridas. Em vez disso, solicitou uma reunião e correu atrás de informações.

E quanto às preocupações de Nancy? Amélia planeja abordá-la, dizendo que está confusa e deseja estabelecer comunicação direta. Além disso, vai documentar e comunicar à equipe os projetos em que está trabalhando e os progressos feitos. Também perguntará a Carson como ele prefere se manter a par de seu trabalho e progresso. Por fim, planeja parar de responder "Sim, posso fazer" para todos os pedidos que lhe forem dirigidos.

Essa foi uma ilustração de ações sábias que evitaram o que poderia ter se transformado em uma briga de foices. No entanto, foi necessário um chefe compreensivo, disposto a admitir seu erro — e nem todo patrão é assim.

O contador Eugene trabalhou para um sujeito que nunca admitia estar errado; qualquer um que fizesse menção disso ou apenas discordasse dele não permanecia por muito tempo. Veja como Eugene descreve esse chefe explosivo:

> Ele era um empreendedor de sucesso que havia contrariado o senso comum para construir um negócio próspero. De manhã, chegava com quatrocentas ideias, mas, à tarde, só tinha uma. Dizia algo e depois invertia totalmente as instruções. Ninguém podia tomar as próprias decisões.
>
> Uma vez, ele falou conosco por vinte minutos sobre como prestar um ótimo serviço aos clientes e, dois dias depois, ficou chateado porque gastamos cinquenta dólares para manter um cliente feliz. Nomeava uma pessoa para ser responsável por três lojas, mas logo a demitia, pois ninguém conseguia satisfazê-lo.
>
> Isso aconteceu comigo. Ele me colocou à frente das lojas, mas aquilo só durou três meses, porque discordei dele em uma reunião. Eu disse: "Isso é muito limitado. Você precisa olhar para o quadro mais amplo".
>
> Ele não argumentou, mas uma hora depois disse que eu deveria voltar a ser contador, abrir minha própria empresa; ele seria meu cliente.
>
> — Quanto tempo ainda tenho aqui? — perguntei.

— Eu não disse que o estava demitindo — ele explodiu. Quinze minutos depois, voltou e disse:

— Você tem duas semanas.

Existem chefes com tudo quanto é tipo de história de vida, personalidade e métodos. Às vezes, a adaptação a eles vai além dos limites do funcionário. Os motivadores dizem: "Cresça com as mudanças", mas, muitas vezes, as mudanças são traumáticas e não parecem de maneira nenhuma o ambiente adequado para o desenvolvimento profissional. Por exemplo, conflitos entre dois líderes fortes podem levar a escolhas difíceis, como no caso da história a seguir:

Ross era um líder criativo e bem-sucedido da empresa de embalagens Northeast. Ao longo dos doze anos anteriores, proporcionou um aumento consistente dos lucros em seu departamento, mas os problemas despercebidos em outras divisões de repente vieram à tona e a companhia se viu imersa no vermelho. Em reação a isso, um "crocodilo" foi contratado. Ross percebeu que era esse o perfil do novo vice-presidente, pois suas primeiras perguntas se resumiram em saber quais funcionários poderiam ser descartados.

Não demorou muito, o novo chefe informou a Ross que haveria redução de pessoal em toda a empresa, inclusive no departamento dele. Contudo, os funcionários de Ross faziam seu departamento prosperar e contribuíam com grande quantidade de lucro. Anos antes, ele os havia recrutado e treinado até se tornarem uma equipe eficiente, que alcançou o pico da produtividade.

O crocodilo insistia que, para ser justo, era necessário fazer cortes em toda a organização.

Uma tarde, Ross perguntou: "Quanto lucro você precisa que meu departamento gere? Por que dispensar pessoas que estão gerando receita? Diga-me um número. É só me dizer e você o terá".

Ouviu, então, que não era assim que as coisas funcionavam.

O contratado mais recente de Ross era um homem mais velho que havia saído de um emprego seguro para se unir a eles. Forçado a demiti-lo, Ross mal conseguia dormir. As questões iam muito além da redução de pessoal. Veja como ele descreveu o chefe:

O cara era um controlador, um baixinho de terno caro determinado a ficar no nosso pé. Em vez de libertar as pessoas para que progredissem, ele as via como peças em seu tabuleiro de xadrez. Ele sorria ao mesmo tempo que escondia um tijolo por baixo da luva de veludo. Não havia parceria, diferente do que acontecera com meus chefes anteriores.

Escrevi-lhe um longo memorando no qual detalhei minhas preocupações. Ele respondeu serenamente, dizendo que, se era daquele jeito que me sentia, eu deveria ir embora.

O cara era um controlador, um baixinho de terno caro determinado a ficar no nosso pé.

Aquilo me chocou, não por mim, mas por todos nós na companhia. Ele estava concentrado em terminar sua partida de xadrez, voluntariamente cego para o fato de que minha saída provocaria o êxodo dos melhores funcionários e uma perda imensa de dinheiro e energia. Seu modo de pensar me lembrava da estratégia de defesa na Guerra do Vietnã: "Precisamos destruir a vila para salvá-la".

Eu simplesmente não conseguia produzir sob a chefia desse novo cara. Ele violava todos os meus princípios de como liderar as pessoas que contavam comigo.

Certa noite, tive um sonho. Eu estava em um trem com meus colegas quando sofremos um ataque terrorista. Meu novo chefe, que era o líder do bando, veio em minha direção. Eu agarrei seu braço, o torci e golpeei seu ombro. Então ergui o punho para esmagar seu cotovelo, mas acordei com o coração acelerado.

Nunca tive um sonho com significado tão claro. Eu poderia quebrar o braço do meu chefe, já que tinha bastante participação nas ações da empresa. Poderia lutar para que ele fosse demitido, atacando-o (e também suas estratégias) com minha equipe e meus aliados. Mas muito sangue escorreria pelo chão.

Ross decidiu ir embora sem travar uma guerra. Logo foi contratado como CEO de outra companhia do mesmo ramo e continuou a construir novas equipes de destaque. Muitos de seus colegas foram embora e tiveram sucesso em outros lugares, mas aquela empresa sofreu perdas significativas por causa da partida deles.

Por que Ross não "combateu o bom combate" a fim de continuar a liderar sua equipe e ajudar a empresa a permanecer fiel a seus valores? Ele nos contou:

> Acreditem, eu me senti tentado a fazê-lo. Mas decidi que era apenas isto: uma tentação. Eu estava me deixando levar por uma mistura louca de raiva, desespero e ideias de vingança para expor meu chefe a alguns membros da diretoria, a fim de mostrar como aquele cara era estúpido. Precisei de bastante tempo e oração para enxergar todas as consequências de minhas ações de uma maneira ou de outra. A situação me levou ao limite, me tornou mais maduro e me preparou para novos desafios. No fim, isso foi importante e maravilhoso.

Às vezes, motivado por "indignação justa", você pode decidir consertar algo que está errado. Em outras ocasiões, pode simplesmente ir embora.

* * *

Assassinato? Muitos funcionários desvalorizados pelos chefes podem sentir vontade de cometer esse crime.

Susan, pedagoga em uma grande universidade, coordenou os serviços para alunos com necessidades especiais ao longo de treze anos. Ela era muito qualificada, atuava nas comissões de busca por novos diretores e era responsável por boa parte da capacitação. Por meio de estudo e trabalho duro, conseguiu as credenciais acadêmicas necessárias para ser promovida. Na quarta vez que se abriu uma vaga para diretor, recusou o convite para participar da comissão de recrutamento e disse ao chefe que planejava se candidatar à função.

Por motivos que só ele conhecia, o chefe respondeu: "Você não vai conseguir".

Susan nos disse: "Eu sabia que ele tinha a palavra final e que meu destino estava selado. Fiquei arrasada".

Em vez de se tornar uma pessoa amarga, ela manteve a energia. "Comecei a me abrir para a ideia de explorar outras funções. Não deixei que o episódio envenenasse meu serviço, nem minha atitude. Isso poderia ter provocado um ambiente tóxico para todos".

Certíssima! Susan teve sabedoria para perceber que, se ela reagisse com raiva ou acusações, afetaria todo o departamento e muito mais. Deve ter sido extremamente tentador dizer algo quando a pessoa escolhida para o cargo apareceu em sua sala, olhou nos olhos dela e disse: "Susan, esta função deveria ser sua, e todos nós sabemos disso. Você é a pessoa perfeita para ela".

Susan não permitiu que o comentário se transformasse em munição para descontar no chefe. Não deixou a injustiça entrar em ebulição dentro dela. Em vez disso, disse ao novo diretor que apreciava aquelas palavras e que o apoiaria plenamente. "Falei que o ajudaria a pegar o jeito do cargo. Também disse que, como o vice-presidente havia limitado minha possibilidade de alcançar posições superiores, começaria a procurar um novo emprego".

A procura de Susan por outra oportunidade resultou na contratação não por uma instituição acadêmica, mas, sim, empresarial. E ela conta: "Estou amando minha nova função".

Descobrimos que levar um golpe e seguir em frente costuma ser bem melhor do que tentar desfazer a injustiça ou insistir nos próprios direitos — mesmo quando eles são completamente válidos.

Em uma universidade da Costa Leste dos Estados Unidos, um jovem professor fez grande parte de uma pesquisa sobre determinado assunto, sob a supervisão do chefe de departamento. Foi uma péssima surpresa quando o professor sênior anunciou que publicaria um livro com o material que haviam desenvolvido juntos, sem dar nenhum crédito ao mais jovem.

Pareceu-lhe absurdo o colega mais experiente fazer isso. Foi um golpe esmagador. Ele sentia que precisava partir para ações vigorosas.

O jovem professor tomou a sábia atitude de convidar um mentor para almoçar, a fim de conversarem sobre o que deveria ser feito. Embora o outro professor tenha violado o bom senso da conduta honesta em um ambiente do tipo "publique ou morra" e agido de maneira injusta, o jovem e seu mentor concordaram que a situação seria considerada ambígua. O professor jovem merecia o reconhecimento, mas exigi-lo criaria ondas de dissonância não só entre os professores, mas também no departamento e entre os alunos. Chegaram à conclusão de que o melhor plano era não insistir no caso e partir para outros projetos.

O jovem professor escreveu diversos livros e acabou recebendo reconhecimento significativo por sua excelência no ensino e na pesquisa.

Às vezes, os confrontos podem ser necessários. Contudo, em outras ocasiões, a dinâmica atual dos ambientes de trabalho pode transformar desentendidos em grandes conflitos. Por exemplo, todos sabemos que os *e-mails* são ótimos para transmitir informações, mas não dão conta de todas as nuances de significado. Guerras por *e-mail* surgem com facilidade. Certo supervisor de uma pequena empresa criticou uma mensagem enviada por uma subordinada direta, que disparou de volta afirmando que o chefe estava sendo injusto. Este respondeu que estava apenas mencionando os fatos para o próprio bem dela, que mandou de volta uma resposta esquentada. Logo todos ficaram sabendo do embate. Foram necessários vários encontros pessoais entre os dois para acalmar a situação e colocá-los mais uma vez no rumo certo.

* * *

Quando há choque entre culturas, cresce a dimensão dos conflitos dentro do ambiente de trabalho. A globalização significa que entidades discrepantes precisam trabalhar juntas com frequência: empresas e governo, faculdades e fornecedores, a fábrica em um país e o departamento de *marketing* em outro.

Por exemplo, empresas suecas que adquiriram negócios norte-americanos e norte-americanos que assumiram companhias suecas passaram por maus bocados por causa das diferenças nos padrões culturais de trabalho. Os dois países podem parecer semelhantes, mas a forte ênfase dos suecos na liderança por meio de equipes e a ênfase norte-americana na liderança individual geram muitos mal-entendidos.

Tais choques são comuns tanto nas grandes escalas do comércio internacional quanto em empresas locais. Porém, conforme demonstra a história de Jackson, eles não precisam "afundar" a organização. Jackson havia acabado de se formar na faculdade e começou a trabalhar em um barco de observação de baleias no Maine. De repente, se viu no meio das tensões entre o capitão e os pesquisadores. Eles vinham de mundos diferentes e tinham preocupações e perspectivas absolutamente distintas. Os pesquisadores haviam contratado o capitão, que não valorizava a presença deles, mas gostava da credibilidade que eles proporcionavam.

Jackson conta:

> Éramos pagos apenas pelas viagens, assim como o capitão. Por isso, as tempestades e o mau tempo significavam ausência de renda. Às vezes, o capitão ficava zangado e descontava sua frustração em nós. Nunca sabíamos em que humor ele estaria e, quando estava mal-humorado, alguns dos pesquisadores entravam na pilha e brigavam de volta. Mas a maioria apenas suportava a rabugice, imaginando que no dia seguinte ele estaria bem; geralmente era isso mesmo que acontecia. Essa estratégia funcionava comigo. Eu ficava de cabeça baixa, apreciando a vista das jubartes e reconhecendo que todos a bordo do barco tinham suas prioridades, seus problemas e suas estranhezas.

É exatamente assim! O reconhecimento de nossas diferenças e "estranhezas" é um grande passo para neutralizar os conflitos.

A maioria de nós conhece diversas ferramentas que ajudam na compreensão de nós mesmos e dos outros, do indicador Myers-Briggs ao teste do eneagrama, passando por livros de psicologia e antropologia. Quantas diferenças existem! Às vezes, é difícil celebrá-las. Em algumas ocasiões, precisamos sorrir e suportar; em outras, somos forçados a tomar decisões complicadas.

Estratégias de sobrevivência

Tenha os próprios planos. Não permita que a pessoa que o pressiona ou o está enlouquecendo determine suas reações. Recuse-se a acrescentar mais veneno à situação. Assim como Amélia, Ross e o jovem professor, decida o que será melhor para você no longo prazo e vincule suas emoções a planos positivos.

Ajude os feridos. Se facas verbais estão perfurando você, é possível que outros também estejam sangrando. Estender a mão a eles com um raio de esperança ou um bom conselho pode ajudá-los e, ao mesmo tempo, animar seu próprio espírito.

Apague a fogueira. Atitudes são contagiosas, mas o espírito positivo também o é. O sarcasmo e o assassinato do caráter são comuns? Responda com gratidão e reconhecimento, da maneira que puder. Pode ser que você encontre outras pessoas com mente e espírito semelhantes que possam ajudá-lo a neutralizar os explosivos letais.

Aumente a rotação do motor. Pense no conselho de Henry Ford: “Quando tudo parece estar contra você, lembre-se de que o avião decola contra o vento, e não a favor dele”.

Lições de liderança

Humilhações e exigências absurdas fazem alguns tremerem diante do conselho de crescer com as mudanças. Tal recomendação pode destruir os nervos, assim como quando ouvimos o barulho de unhas arranhando um quadro-negro. “Até parece! Tente você fazer tudo isso neste lugar doentio!”.

Contudo, existe um legado notável da prática de escolher a própria atitude, a despeito das circunstâncias extremas. O psiquiatra austríaco Victor Frankl, preso em um campo de concentração nazista, concluiu que, a despeito de horrores e humilhações grotescas, "forças além de seu controle podem tirar tudo o que você possui, exceto uma coisa: sua liberdade de escolher como reagir". Ele viu homens de coragem nos campos de concentração, "consolando os outros e dando o último pedaço de pão", como prova de que, sob quaisquer circunstâncias, é possível escolher as próprias atitudes.

Por outro lado, se a gratidão é a mais saudável das emoções, a amargura e a ira nos quebram em pedaços. Parece, então, que a advertência para tomar um "antídoto de gratidão" vai muito além de um carinhoso conselho de mãe. Pilhas de livros e artigos recentes nos informam que pessoas agradecidas na vida cotidiana têm probabilidade muito maior de se relacionar bem com os outros, dormir melhor, ser menos deprimidas e ter melhor saúde física de modo geral. Elas também realizam mais, têm mais amigos e evitam a estafa.

Questões para debate

- O que mais magoa você: um comentário negativo ou uma mensagem sarcástica indireta?
- Quando um colega de trabalho fala algo maldoso ou que o ofende, como você se controla para não tornar o ambiente ainda mais negativo?
- Em quais situações você acha melhor não confrontar um colega e "lutar por seus direitos"?

Resistir à mudança em pleno século 21
é tão inútil quanto desejar que
não houvesse impostos.
Paul White

Quando você para de mudar,
você para.
Bruce Barton

Não encontre defeitos.
Encontre soluções.
Henry Ford

6

COELHOS NA RODOVIA

Como encontrar saúde e capacidade em meio a tanto barulho e fumaça

O alto índice de estresse é dado como certo em muitas organizações. Por exemplo, o gerente de uma empresa de comunicação nos disse: "Quando li em uma revista sobre o que aconteceu com alguns coelhos em uma rodovia, parei e fiquei olhando para a parede. Pensei: 'É exatamente isso que está acontecendo comigo!'".

O gerente havia deparado com um artigo sobre pesquisadores que indagaram o que aconteceria se colocassem casais de coelhos para viver na grama que dividia as pistas de uma rodovia de Los Angeles. Eles ficariam em relativa segurança dentro da cerca, mas permaneceriam expostos ao constante barulho e à fumaça dos carros e caminhões em movimento. O experimento foi um desastre para os coelhos. A vida na rodovia causou diversos danos ao cérebro e ao sistema nervoso desses animais. Eles não conseguiram se desenvolver e seus filhotes morreram.

O estudo concluiu o óbvio: é difícil prosperar em meio ao barulho e à fumaça moderna.

"Sinto-me exatamente como aqueles coelhos quase todos os dias", disse o gerente. "Nunca estou de folga, e a pressão para conseguir fazer tudo não para jamais."

Em um seminário realizado pelo coautor Paul White, vários atendentes do serviço ao consumidor de uma companhia de seguros contaram o que acontece quando grandes tempestades atingem empresas asseguradas por eles. Assim que o escritório abre, os clientes começam a ligar, desesperados por ajuda imediata — pessoas cujo empreendimento sofreu danos e que não podem se dar ao luxo de esperar pelo dinheiro para fazer a empresa voltar a funcionar. Os atendentes se sentem sobrecarregados pela urgência e pelo volume de demandas.

Em quase todas as áreas, os representantes das centrais de atendimento ao consumidor lidam diariamente com clientes insatisfeitos, pedidos errados e pressão constante para permaneceram calmos, com postura profissional. O estresse está por toda parte. As pressões para "fazer mais com menos" e "maximizar a eficiência" podem aumentar a produtividade, mas, com frequência, cobram um alto preço daqueles que se encontram na linha de frente. Em organizações com redução de pessoal, os funcionários carregam o estresse de assumir o trabalho dos outros e o medo de perder o emprego.

O escritor técnico Philip trabalhou durante oito anos presenciando onda após onda de demissões, perguntando-se ansiosamente se ele estaria entre os dispensados. Sabia-se que os funcionários demitidos recebiam, às 6 horas da manhã, uma mensagem pedindo que comparecessem a uma reunião na sala de conferências. Philip nos contou: "Saber que a mensagem poderia estar em minha caixa de entrada a qualquer manhã parecia a espera pela batida na porta da polícia secreta. Era algo que poderia acontecer a qualquer momento".

Muitos funcionários vivem com essa ansiedade.

Um dia, Philip recebeu a temida mensagem na caixa de entrada, compareceu a uma daquelas reuniões e foi dispensado. Felizmente, teve cinco meses para procurar trabalho e encontrou um novo emprego, mas em um campo diferente, que requer habilidades novas. Ele se sente em relativa segurança no que se refere ao risco de demissão agora, mas se apressa em dizer que aprendeu que atualmente não existe segurança real no mercado de trabalho.

Como Philip lidou com os oito anos de preocupação quanto à possibilidade de a "polícia secreta" vir bater à sua porta a qualquer momento? "O que mais me ajudou foi a leitura do livro *Executive Blues* [Depressão executiva], de G. J. Meyer. Vi como outras pessoas passam por coisas completamente doidas e reconheci que eu precisaria apenas lidar com aquela loucura e viver um dia de cada vez".

Apenas lidar com a loucura? Apenas lidar com o estresse e com exigências quase impossíveis? É mais fácil falar do que fazer! Porém, tanto dentro de um ambiente de trabalho tóxico como em um lugar maravilhoso, a administração do estresse e da ansiedade quase sempre vem com o pacote.

O gerente Jared era responsável pela pequena equipe de um jornal local no sul dos Estados Unidos. Em 2009, de repente, deparou com mudanças drásticas que provocaram muito estresse e ansiedade. Leia o que ele nos contou:

> Quando a economia afundou, parei de fazer aquilo que amava havia cerca de 25 anos. Eu tinha definido uma visão para meu departamento e liderava com confiança e paixão. Ganhamos diversos prêmios por nosso trabalho árduo e criativo, mas tudo mudou. Não fui demitido, mas foi extremamente doloroso ver pessoas com quem me importava muito serem forçadas a ir embora.

Posso perder meu emprego amanhã! Sem ele, não tenho como me sustentar. Para dizer o mínimo, sinto-me estressado na maior parte do tempo.

> Minhas responsabilidades mudaram drasticamente e tenho mudado de um escritório para outro, o que me faz sentir um nômade. Gerencio alguns funcionários, mas eles são mais jovens e entendem mais de tecnologia do que eu. Nem sempre sei muito bem como liderá-los. Sou um peixe fora d'água — ou um gerente fora de sua área.
>
> Além disso, há uma grande pressão financeira, pois esperam que eu tenha "ideias revolucionárias" para ajudar a empresa a voltar para o azul. Posso perder meu emprego amanhã! Sem ele, não tenho como me sustentar. Para dizer o mínimo, sinto-me estressado na maior parte do tempo.

Como Jared tem sobrevivido dia após dia? Além do apoio que recebe na igreja, está relendo *Walden*, de Thoreau, e antes de cada dia de trabalho estuda livros de oração em uma cafeteria. Também procura ater-se à decisão de só falar coisas positivas acerca de si mesmo. Diz consigo que sua estrutura é forte, que sabe trabalhar com afinco e enfrentar o que vier pela frente. Lembra que seu pai superou empregos muito mais difíceis.

Certa vez, quando menino, Jared foi à fábrica onde seu pai trabalhava. Andando sob a luz de uma única lâmpada, o garoto observou as rodas de polimento. Foi ali que seu pai perdeu um olho por causa de um pedaço de metal que se soltara de uma escova giratória. O trabalho prejudicou a saúde de seu pai, mas ele conseguiu se recuperar e, mais tarde na vida, arranjou um emprego onde era bem tratado.

Jared continua dizendo a si mesmo que vai aceitar o que vier pela frente e dar seu melhor diante de todos os desafios.

* * *

Fred Smith, empresário de Dallas, falou e escreveu muito sobre liderança no ambiente de trabalho. Um dos temas que abordou foi como lidar com o estresse de maneira eficaz. Ele gostava de citar Hans Selye, um dos primeiros pesquisadores sobre o estresse, que escreveu *Stress: a tensão da vida* e enfatizava, assim como muitos atualmente, que o estresse pode nos debilitar, mas também despertar em nós energia e produtividade. O estresse faz parte da vida e devemos enfrentá-lo com esforço e recuperação.

Certas emoções geram poder permanente, mas a vingança, o mais prejudicial dos sentimentos, debilita. Fred incentivava a contenção da raiva e do desejo de vingança: "Coloque uma coleira nele! Não deixe o rancor de ontem apodrecer durante a noite". Ele se esforçou para não permitir que isso acontecesse consigo. Ao se levantar, seguia uma rotina de quatro exercícios mentais positivos para iniciar o dia, e um deles incluía a gratidão.

Após uma vida notável no mundo dos negócios, Fred continuou atuando como conselheiro e mentor, até sofrer uma falha renal quando tinha mais de 80 anos. Embora tenha ficado confinado ao leito, aos sábados, diversos líderes de Dallas se reuniam ao redor de sua cama, em busca de *insights* e conselhos. Eles nomeavam aquele momento como Fred in the Bed [Fred na cama]. Em vez de temer a hemodiálise que enfrentava três vezes por semana, Fred convidava alguém para encontrá-lo no hospital a fim de ter uma animada conversa durante o procedimento. Ele chamava a ocasião de "Universidade Hemodiálise".

Fred faleceu, mas você pode visitar o *site* <breakfastwithfred.com> [em inglês], ainda ativo, e encontrar muitos conselhos cheios de vida. Por exemplo, ao se sentir como o coelho na rodovia, você pode analisar como Fred lidava com o estresse e a ansiedade. Ele aconselhava viver em "compartimentos do tamanho de um dia", uma ótima imagem mental para dar ouvidos a um conselho já bem antigo. Afinal, Jesus alertou que não devemos ficar ansiosos por coisa alguma, pois já bastam os problemas de hoje.

Michael Lee Stallard, presidente da empresa E Pluribus Partners, encontrou forte alívio para o estresse por meio do "poder protetor da conexão", sobretudo quando sua esposa, Katie, foi diagnosticada com avançado câncer de ovário. As filhas do casal tinham 10 e 12 anos na época. O pensamento de perder a maravilhosa mãe das meninas deixava Michael ansioso e estressado. No entanto, familiares e amigos sempre levavam comida, ânimo e alegria para sua casa. "O sentimento de conexão com a família, os amigos e o Senhor elevaram nosso espírito", conta ele. "Embora eu me sentisse imobilizado pelo estresse, a conexão com as pessoas me protegia. Este ano celebramos o décimo ano de remissão do câncer de Katie."

Michael é o autor principal de *Fired Up or Burned Out: How to Reignite Your Team's Passion, Creativity, and Productivity*

[Motivado ou esgotado: como reacender a paixão, a criatividade e a produtividade de sua equipe]. Ele relata:

> Hoje eu treino líderes, ensinando-os a se conectarem e a criarem uma cultura de conexão. Aconselho-os a não se preocuparem sozinhos. Ensino-os a se ligarem de maneira intencional com os outros, conhecendo a história das pessoas e sua linguagem de valorização pessoal no ambiente de trabalho, fazendo perguntas que não estão ligadas ao trabalho e descobrindo interesses em comum. Também os incentivo a se lembrarem de atos simples, como fazer contato visual e chamar os colegas pelo primeiro nome. "Apenas conectem-se", digo a eles, "e vocês experimentarão mais produtividade, bem-estar e alegria de viver."

* * *

Às vezes, colegas enlouquecedores causam mais estresse do que prazos ou volume de trabalho. A gerente Bethany sentia estresse constante por causa de uma funcionária mais antiga que despejava a própria carga de tarefas sobre ela, resultando em sessenta horas de trabalho por semana, sem pagamento pelas horas extras e muito pouco tempo para dedicar à sua jovem família. O que mais irritava era a constatação de que tudo aquilo era desnecessário: a mulher mais velha de casa mudava processos, deixava de comunicar detalhes importantes e insistia em tarefas desnecessárias, fazendo Bethany trabalhar dez horas por dia, embora o trabalho efetivo não ultrapassasse quatro horas.

Bethany descreve seu grupo de trabalho da seguinte forma:

> O ambiente é hostil porque a "gerente sênior" quer tudo do jeito dela, ou vamos para o olho da rua. Ela mete o dedo em tudo, para poder ficar com todo o crédito. Faço tudo e mais um pouco, mas ela diz o tempo inteiro que não estou conseguindo fazer meu trabalho e ainda comunica isso para os outros. É rápida em apontar erros mínimos e refaz meu trabalho sem necessidade — e ainda reclama por isso! É crítica o tempo inteiro. Nosso departamento fez o curso das cinco linguagens da valorização pessoal, mas ela o achou inútil.

> Fora do grupo de trabalho, ela não é assim. Faz brincadeiras com as pessoas ao telefone, sai para tomar cerveja e é sempre simpática. Conosco, ela é curta e grossa, tem expectativas irreais e é extremamente detalhista em suas observações. É *workaholic* — trabalha sessenta horas por semana aqui e também é gerente-auxiliar em uma loja.
>
> Eu era gerente em meu emprego anterior e nunca tratei meus colegas de trabalho como se fossem inferiores. Nunca fui tratada de maneira tão injusta e desrespeitosa. Já pensei em mudar de departamento e até mesmo em pedir demissão.

Bethany certamente precisa fazer alguma coisa. Qualquer que seja o rumo de ação que decidir tomar, ela provavelmente continuará a sentir o estresse. E não é isso o que acontece conosco hoje em dia?

O coautor Gary Chapman relembra a experiência de um amigo chamado Nate que, ao longo de quinze anos trabalhando em uma fábrica, vivenciava pouco estresse, gostava do serviço e dos colegas. Até que a economia afundou e a empresa precisou enxugar o pessoal. Foi péssimo para Nate ver alguns de seus colegas de trabalho serem demitidos, mas ele compreendia. A produção havia caído e ele estava feliz por ter um emprego. Contudo, um ano e meio depois, a companhia conseguiu fechar um contrato imenso com o governo. A carga de trabalho aumentou, mas eles não contrataram mais funcionários. Isso significou mais serviço para aqueles que haviam sobrevivido aos cortes. Nate contou o seguinte a Gary:

> A situação ficou insuportável. Eu odiava ir para o trabalho. O nível de estresse era alto; os funcionários reclamavam, mas os administradores não ouviam. Eles diziam que não estávamos alcançando todo nosso potencial. Não sei o que eles acham que eu era capaz de fazer, mas eu tinha certeza de que era impossível fazer mais. Ameacei ir embora e ouvi o seguinte de meu supervisor: "Isso é você quem decide".
>
> Não pude acreditar que ele fosse tão insensível. Ele não tinha coração. Senti-me totalmente desvalorizado depois de todos os

anos que havia dedicado à empresa. Por isso, pedi demissão sem ter para onde ir. Minha esposa ficou chateada, mas eu não conseguia aguentar mais. Se eles tivessem expressado o mínimo de preocupação, eu poderia ter me disposto a tentar fazer as coisas funcionarem; mas, quando vi que não era valorizado, foi a gota d'água.

Senti-me totalmente desvalorizado depois de todos os anos que havia dedicado à empresa. Por isso, pedi demissão sem ter para onde ir.

Em três meses, Nate conseguiu outro emprego. Ele disse a Gary que está muito feliz no novo ambiente de trabalho.

ESTRATÉGIAS DE SOBREVIVÊNCIA

Compreenda a natureza do estresse. Sentimos estresse quando as demandas são maiores do que os recursos que temos para atender a elas. Mas nossa perspectiva pessoal pode aumentar o enfado. Precisamos aprender a administrar nossas expectativas.

Desenvolva hábitos empoderadores. Certo homem na casa dos 70 anos e criador de um conglomerado multibilionário nos surpreendeu com sua franqueza a respeito de suas rotinas pessoais. "Tudo gira em torno de estabelecer os hábitos certos", ele nos contou, "e ainda estou trabalhando nisso." Desenvolver hábitos positivos requer determinação ao longo da vida inteira, mas vale a pena. Os hábitos são capazes de nos libertar e empoderar. Cada um deles contribui para nossa capacidade de lidar com as pressões e dores tanto do trabalho como da vida.

Reconheça que os hábitos prevalecem sobre a força de vontade. Pesquisas recentes apontam que todos nós temos uma força de vontade muito limitada! É aí que entram os hábitos — precisamos que eles tomem a frente quando a força de vontade se mostrar fraca. O poder notável dos bons hábitos físicos, mentais e espirituais está bem documentado. Às vezes, podemos nos desanimar com nossa falha em cumprir as resoluções que fazemos. Contudo, assim como aquele executivo bem-sucedido aos 70 e poucos anos, podemos descobrir o poder dos hábitos e superar a tendência de nosso corpo funcionar no "piloto automático".

Faça uma atividade física. Para aqueles que reviram os olhos diante das recomendações de suar a camisa, as pesquisas mais recentes deixam absolutamente claro que o acréscimo de até mesmo um pouquinho de exercício a uma vida sedentária faz uma diferença enorme. Como disse um executivo: "O exercício físico é a parte mais fácil do quebra-cabeça. Para mim, é o que proporciona a maior recompensa".

Lições de liderança

O fluxo de passageiros percorria o aeroporto de Dallas no final de uma tarde quando o coautor Harold Myra entrou cansado em um *stand* de livros e deu uma olhada nas prateleiras. Na função de CEO da própria editora, ele vinha correndo de uma reunião para outra com curadores e contatos comerciais, estudando o orçamento para um novo lançamento e analisando soluções para uma crise pessoal repentina. O estresse e o peso das responsabilidades o estavam esmagando.

Um título em uma das estantes roubou sua atenção: *The Corporate Athlete* [O atleta corporativo].

Ele ficou intrigado. O que significava aquela estranha combinação de palavras? Decidiu comprar o livro e, no voo de volta para Chicago, o devorou.

Harold se sentiu inspirado ao perceber como o autor Jack Groppel aliava o realismo acerca da "prova severa da alta *performance* corporativa" com maneiras práticas de mudar mentalmente a química corporal, reenergizar-se ao longo do dia e lidar com o poder das emoções. Groppel desenvolveu o livro por meio do centro de treinamento executivo que fundou em colaboração com colegas, no qual os princípios do treinamento atlético são aplicados ao ambiente de trabalho.

Os atletas usam o estresse (físico, mental e emocional) para se tornar mais fortes, rápidos e focados. Groppel destaca que eles treinam para eventos, mas os trabalhadores precisam desempenhar o tempo *todo* e quase nunca treinam. O autor cita, então, a necessidade de adaptação a uma "mentalidade de treinamento" que inclui habilidades emocionais, preparo mental, equilíbrio, atitude, recuperação, aptidão física e nutrição como elementos fundamentais ao processo de treinamento. Defende que o sistema humano realiza qualquer coisa para a qual seja treinado.

Na sequência, Harold leu os livros do sócio de Groppel, James Loehr, que durante anos treinou atletas de ponta e começou a aplicar aos executivos aquilo que sabia. Em *Stress for Success* [Estresse para o sucesso], Loehr afirma que precisamos aceitar o alto índice de pressão no ambiente de trabalho como uma realidade da vida. Para sobreviver e prosperar, precisamos aprofundar nossa capacidade de lidar com essa pressão. Entre as ideias principais descritas no livro de Harold, encontram-se as seguintes:

- Assim como é possível aumentar a força física levantando pesos cada vez maiores, pode-se treinar de maneira sistemática a mente e as emoções.
- As emoções estão no controle de sua vida pessoal, empresarial e espiritual. Firmeza da mente e do corpo fazem parte de um mesmo *continuum*.
- O treinamento mental altera a estrutura cerebral. Pensamentos e imagens empoderadores estimulam novos caminhos neuronais que, repetidos de maneira constante, se tornam mais fortes.
- O estresse é bioquímico. As demandas que chegam a você todos os dias no escritório, o número e o tipo de fatores estressantes que fluem dentro e fora de sua vida corporativa não são os determinantes de seu nível de estresse. A reação interna de seu corpo é que dita tudo.

> A boa notícia é que a reação ao estresse pode ser bastante modificada. As tempestades da vida e do trabalho podem se converter em oportunidades para expandir a capacidade de suportar o estresse.

Se a última frase parecer simplória demais, talvez devêssemos revisitar os *insights* já mencionados do sobrevivente ao holocausto Victor Frankl, que enfatiza nossa liberdade para escolher as próprias reações. As pressões e toxinas que suportamos podem causar dano mortal à mente e ao corpo; todavia, temos uma parcela de controle sobre como vamos reagir. Conforme Fred Smith aconselhou, escolha uma atitude de gratidão e "viva em compartimentos do tamanho de um dia". Segundo o conselho de Loehr, "Quando você for pressionado até o máximo de seus limites, diga a si próprio: 'Posso lidar com isso. Posso fazer este dia dar certo'".

Questões para debate

- O que em sua vida (pessoal ou profissional) gera mais estresse para você atualmente?
- Que aspectos do estresse (grandes demandas ou poucos recursos) estão sob sua influência?
- Que atitude ou ajuste de percepção você pode fazer para ajudá-lo a suportar melhor o estresse?
- Que atividade física ou quantas horas a mais de sono você poderia acrescentar à sua vida para ajudá-lo a administrar melhor o estresse?

Falhamos ao estimar a
realidade da natureza humana.
Ninguém é totalmente altruísta.
Gary Chapman

O homem [...] vive pouco tempo
e passa por muitas dificuldades
Livro de Jó

Todo administrador, qualquer
que seja o nível em que atua,
tem a oportunidade, grande ou pequena,
de fazer algo. Não passe o bastão.
Bob Anderson

7

DESCIDA PARA O LADO SOMBRIO

Ótimos locais de trabalho podem afundar com velocidade alarmante

Enquanto reuníamos histórias sobre ambientes de trabalho, ficamos desconcertados ao observar quantas vezes organizações excelentes perdem sua energia positiva — ou passam por algo muito pior. Vez após vez, ouvimos descrições de "como era nos bons tempos", em contraste com descidas íngremes ao fundo do poço. Às vezes, isso acontece porque a diretoria escolhe um líder incapacitado para a função. Em outras ocasiões, crises provocam uma série de decisões ruins, ou eventos externos acabam com o espírito e a resiliência de uma companhia, ou ainda brigas internas se espalham e contaminam todos.

A líder de equipe Rebecca nos surpreendeu ao dizer que odiava seu local de trabalho, embora antes se sentisse entusiasmada por trabalhar ali. "Não dá mais!", ela exclamou. "As coisas eram muito boas, mas agora este lugar está repleto de conflitos e críticas."

Perguntamos o motivo, e ela disse que tudo começou com a mudança de foco na administração, que deixou de ter como alvo a intenção de proporcionar serviços de qualidade e passou a buscar fazer dinheiro. "Tudo gira em torno do aumento dos lucros e da diminuição dos gastos, sem nenhum recurso para treinamento e capacitação do pessoal."

Ela prosseguiu: "Nós nunca — e quero dizer nunca mesmo — ouvimos algo positivo. Mas ouvimos muitas críticas!

Eles nos criticam na frente dos outros, como se quisessem nos envergonhar. Os funcionários agora chegam tarde e vão embora cedo. As pessoas criticam e culpam umas às outras. Eu sairia em um piscar de olhos se pudesse".

Todos sabemos que as empresas precisam lucrar, mas, quando isso se transforma no foco principal, provoca uma ruína e pode repelir rapidamente os melhores funcionários. Com frequência, vemos isso acontecer quando uma empresa compra outra. Mark, aluno do último ano de engenharia, contou-nos por que largou o emprego para voltar a estudar. Antes da empresa em que ele atuava ser comprada, os funcionários leais nunca faltavam ao expediente e adoravam trabalhar juntos. Mark disse que os chefes apoiavam os subordinados e resumiu sua experiência afirmando: "Tínhamos um sentimento maravilhoso de comunidade".

Quando a empresa foi comprada, tudo mudou. "A grande companhia que a adquiriu garantiu que respeitaria os funcionários", alegou Mark, "mas não se importavam nem um pouco conosco, contanto que conseguissem lucrar."

Ao entrevistar líderes e funcionários, descobrimos que exemplos como esse são depressivamente numerosos e desanimadores — e nem sempre o problema é o dinheiro. Às vezes, uma única pessoa no topo é capaz de arruinar sozinha toda uma organização eficiente.

Talvez o exemplo mais revelador, e, para nós, o mais infeliz também, seja o de uma organização bastante comprometida com os valores que enfatizamos. Mas o poder subiu à cabeça de apenas um de seus líderes. Henry, que passou oito anos trabalhando como psicólogo na instituição, descreve para nós o grau de determinação com que a empresa buscava honrar seus elevados valores e depois conta o que deu errado:

> Quem estudasse o manual do funcionário da companhia encontraria cerca de trezentas páginas de filosofias progressivas de comunicação — enfatizando a prática de falar sempre a verdade e desenvolver uma comunidade voltada para o aconselhamento

empático, focado no coração. A organização possibilitou que centenas de pessoas experimentassem um crescimento que lhes transformou a vida ao lidarem com obstruções emocionais. Era comum ouvir membros da equipe dizerem que trabalhar ali era a coisa mais importante que já haviam feito, gratos pelo fluxo infindável de *insights*, desenvolvimento pessoal e sabedoria adquirida.

No entanto, nos oito anos que passei ali, presenciei uma virada definitiva para o lado sombrio.

Na mente e no coração de nosso diretor, a empatia começou a esmorecer. Ela foi substituída por uma filosofia quase mecânica, de esquema corporativo, voltada para resolver problemas e não deixar nada passar. Ele criou um processo para corrigir qualquer pessoa que atrapalhasse isso — ou, valha-me Deus, cometesse algum erro. O uso enérgico de "pauladas em forma de diálogo" servia para "dar um tapa verbal na cara das pessoas e acordá-las" para que atendessem às expectativas de desempenho.

O mais irônico é que o diretor usava "o diálogo intencional e a comunicação não violenta" de maneira impecável, uma vez que fazia acusações vergonhosas "por questões de integridade" a fim de resolver "falhas em cumprir combinados". As pessoas saíam emocionalmente devastadas das reuniões com ele, incapazes de trabalhar com eficiência nos dias seguintes.

Ao ouvir a história de Henry, nós indagamos como, em uma organização com declarações e compromissos de valores tão bem elaborados, o uso astuto desses mesmos valores pode ser direcionado para subvertê-los por completo. Henry nos contou que ele e os colegas acabaram concordando que a raiva oculta e a intolerância cresceram profundamente dentro do diretor. Contudo, nos debates, ele usava sua experiência, seu conhecimento e sua inteligência para erigir uma fortaleza intransponível.

Henry continuou a descrever o processo de decadência da organização:

O comportamento disfuncional do diretor cresceu como uma nuvem negra sobre toda a comunidade. As políticas mudaram. Tudo ficou mais rígido, menos confiável, mais suspeito. Câmeras escondidas foram instaladas para monitorar o comportamento da equipe. O diretor culpava as pessoas por "falhas" e desconsiderava seus protestos com termos vexatórios e elaborados (por exemplo, "sentimentos fictícios"). Ele passou tanto tempo segurando espelhos para os outros se enxergarem que esqueceu como se olha para um deles.

Os funcionários eram pressionados a fazer cada vez mais, e ninguém estava à altura da perfeição que ele exigia em nome do progresso, do crescimento e do desenvolvimento organizacional. Com o tempo, tudo entrou em colapso. Em uma única temporada, 85% dos funcionários foram embora.

Saí com um gosto amargo na boca. Mantenho contato com os poucos que ficaram, e o diretor continua ali. A luz que um dia emitia brilho e calor naquele lugar praticamente se apagou.

Realidades dolorosas vêm à tona no desenrolar dessa história, e ela levanta o questionamento de por que muitas vezes os presidentes não demitem chefes maldosos. O diretor de Henry subverteu imensamente os valores centrais da organização, mas, mesmo assim, os membros qualificados da equipe eram esmagados em suas tentativas de chamá-lo à realidade. Infelizmente, quando uma pessoa inteligente e realizadora alça o topo, ela pode se mostrar imune aos conselhos daqueles afetados por seu comportamento problemático. É por isso que as maiores autoridades, os administradores na junta diretiva das empresas, devem saber bem o que acontece de verdade para ficarem atentos, reverem a saúde da organização e tomarem ações corretivas quando necessário.

Muito raramente soa um alerta. Observadores reflexivos, desde o especialista em administração Peter Drucker até o periódico *Harvard Business Review*, têm feito declarações severas sobre a típica ineficácia da diretoria. Os membros do conselho diretor costumam ver seu cargo como uma honra ou mesmo um título vazio e, por isso, deixam de implementar as funções cruciais da diretoria. Talvez pensem que, se a organização está dentro do orçamento e cumprindo seus objetivos, tudo bem; mas ela pode estar se desviando de seus valores mais importantes.

Conforme mencionado no capítulo 2, Max DePree adverte que as culturas de trabalho são frágeis em vários aspectos.

Henry, que hoje lidera com eficácia outra organização, diz que o desvio pode começar quando a adesão externa dos líderes a modelos positivos é contrária a seu espírito. "A empatia apenas da boca para fora não é autêntica", ele nos diz. "As pessoas percebem instantaneamente." Essa tem sido nossa experiência ao capacitar organizações usando *As cinco linguagens da valorização pessoal no ambiente de trabalho*. Existe uma diferença profunda entre "empurrar com a barriga" o reconhecimento ao funcionário e a valorização autêntica.

Às vezes, o sucesso dos líderes em uma área leva a erros graves em outra. O instrutor de ginástica Matthew viu isso acontecer, e não pôde fazer nada quando os novos proprietários assumiram a academia.

Matthew trabalhava na maior e mais prestigiosa escola de ginástica do estado em que morava, na Costa Oeste. Os novos donos, marido e mulher, tinham 50 e tantos anos; eram ricos, inteligentes — e arrogantes. Presumiam que haviam descoberto a fórmula para a vida e, com os bolsos recheados, achavam que podiam adquirir uma academia e elevá-la a outro nível. Contrataram um gerente geral experiente que comprou equipamentos novos, mandou pintar as paredes e contratou mais funcionários. O número de matrículas subiu, o dinheiro entrou e tudo parecia ir muito bem.

Contudo, desde o início, os novos donos não demonstravam nenhum respeito pelos gerentes e instrutores. Embora todos fossem profissionais tarimbados que davam seu melhor, eram vistos como "empregados problemáticos". Após cerca de seis meses, os donos acharam que o negócio não estava dando lucro suficiente e subitamente exigiram cortes profundos nos gastos. Matthew foi informado de que receberia um terço a menos (uma forte demonstração de que não era valorizado). Sentiu-se forçado a pedir demissão e, um a um, os outros profissionais fizeram o mesmo.

Menos de um ano após a compra, a famosa academia foi fechada. Alunos e pais ficaram chocados e enfurecidos, mas não podiam fazer nada. Técnicos e funcionários ficaram sem emprego e o local se transformou em uma fábrica de cerveja.

Matthew conta que, antes do fim do estabelecimento, ele não fazia ideia de quanto as atitudes conduzidas pelo topo da pirâmide do poder afetam todos que estão embaixo. "Foi a primeira vez que vi um empreendimento simplesmente desaparecer", diz. "Mas acontece. Aprendi a ter uma visão realista do que pode acontecer, na tentativa de estar mentalmente preparado para mudanças drásticas."

Algumas falhas ocorrem, é claro, por causa de forças avassaladoras do mercado ou alterações externas. Mas outras, como no caso da academia, sucumbem porque os líderes não cumprem sua função de liderar.

Você deve se lembrar do gerente de vendas chamado Kevin, do capítulo 3, cujo chefe o inspirou e, por muitos anos, fez a empresa prosperar. A empresa era ótima: transpirava sucesso e havia uma química bem alinhada entre os funcionários. John, o chefe, liderava com sensibilidade e visão; mas, ao ser promovido a diretor-presidente, cometeu um erro muito grave.

Este é o resumo de Kevin sobre o que aconteceu quando a diretoria escolheu quem seria o novo CEO:

> Estavam para decidir entre mim e Frank. John (o CEO da época) e a diretoria escolheram Frank.
>
> Embora eu não me achasse perfeito para o cargo, tinha certeza de que Frank não levava o menor jeito. Eu acreditava que o fato de a personalidade e o estilo de administração de Frank serem muito contrários ao que a companhia precisava acabaria levando tudo para o fundo do poço.
>
> John, que estava deixando a posição de CEO, veio até meu escritório e perguntou se eu estava bem. Eu disse a ele exatamente o que pensava e dei diversos exemplos de por que acreditava que Frank seria uma opção desastrosa. Eu pensava seriamente em pedir demissão.

No entanto, depois de pensar por uma noite a esse respeito, decidi que não deixaria o emprego. No dia seguinte, fui até John e Frank e disse-lhes que ficaria e faria tudo que pudesse pela empresa.

Com Frank como CEO, as coisas deterioraram drasticamente. Ele liderava usando a intimidação e não tomava decisões, por medo de estar errado. Era inseguro. Ficava junto à baia de um funcionário para ouvir as ligações telefônicas, ou se escondia, tentando escutar as conversas pelo corredor. O ambiente se tornou negativo e cínico. Fortes sentimentos de raiva se instalaram em mim.

Com Frank como CEO, as coisas deterioraram drasticamente.

Após um tempo, saí da empresa por motivos de doença, mas mantive contato. Depois de anos de má administração, que provocou imensas perdas financeiras, Frank foi demitido. Posteriormente, John admitiu para mim que ele e a diretoria cometeram um grave erro ao escolher a pessoa errada para sucedê-lo.

Frank era alguém de dentro e, aparentemente, tinha as qualificações necessárias. John e a diretoria achavam que ele conseguiria dar conta da função. Fizeram, porém, a escolha errada.

De algum modo, fecharam os olhos para o poder extraordinário — tanto para o bem como para o mal — da química corporativa.

Estratégias de sobrevivência

Fique atento aos sinais de advertência. As mudanças seguem cada vez mais aceleradas, e mesmo nas melhores organizações novas demandas, transições e falhas em cumprir expectativas levam à tentação de pôr fim às melhores condutas. Qualquer que seja sua posição, se vir algo que o incomode, analise suas melhores práticas pessoais à luz do que está acontecendo.

Afirme os valores institucionais. A maioria das organizações tem compromissos de valor registrados por escrito. Compare-os com o que você nota no dia a dia.

Ajude a remar. Talvez você tenha poder para colocar a organização nos eixos, talvez não. Mas o ato de manter seu remo dentro da água pode fazer a diferença necessária. E, em situações como a da academia de Matthew, você também pode sair quanto antes, assim que a descida íngreme ao fundo do poço se tornar clara.

Lições de liderança

Quando Peter Drucker era garoto na Áustria, aprendeu cedo que nem sempre os bons tempos duram. A Primeira Guerra Mundial começou, e o pequeno Peter perdeu muitas pessoas amadas e quase morreu de fome. Anos depois, escreveu textos contra os nazistas, que queimaram tais registros. Durante a Segunda Guerra, Winston Churchill incluiu o livro de Drucker, *The End of Economic Man* [O fim do homem econômico] no *kit* de cada escritório novo.

Drucker se tornou conhecido como pai da administração moderna. Uma profunda convicção acompanhou sua vida de escritor de livros e artigos que transformaram organizações e influenciaram imensamente líderes do mundo inteiro. Sua convicção era esta: todos nós fomos criados à imagem de Deus.

Isso o fez ter problemas com a General Motors quando escreveu sobre as práticas administrativas da empresa, pois Drucker não via os funcionários como meros componentes da linha de produção, mas como pessoas. Durante décadas, escreveu suas influentes obras tendo como valor central esse quesito. Dos 80 aos 90 e poucos anos de idade, ajudou organizações sem fins lucrativos enquanto continuava a elaborar livros e artigos para revistas renomadas. Prevendo o que de fato acontece, disse a um grupo de líderes de entidades sem fins lucrativos: "Se houver algum colapso, ele será de ordem moral". Drucker advertia contra a compensação excessiva aos executivos e as práticas autocentradas, que contribuíram para traumas econômicos globais ocorridos logo após sua morte.

Quando acreditamos que fomos criados à imagem de Deus, enxergamos, assim como Drucker, grandes desdobramentos dessa ideia para o ambiente de trabalho. Um deles é a forma como consideramos nossos colegas e chefes, e também nosso modo de interagir com eles.

Este capítulo, "Descida para o lado sombrio", fala de organizações que foram do saudável ao tóxico, mas a verdade é que poucos de nós conseguem escapar do lado obscuro da dinâmica existente até mesmo nas culturas mais positivas. Quebra-se um compromisso, descobre-se um furto, um sócio nos trai. Amigos se transformam em inimigos.

Ao longo dos séculos, os sábios têm escrito sobre algo que parece não fazer sentido: o valor dos adversários. Fred Smith em *You and Your Network* [Você e sua rede de relacionamentos] dedica um capítulo a essa ideia e constata: "Os inimigos podem ameaçar nossa segurança, nosso bem-estar e nossa prosperidade, mas olhamos além deles, para o bem que pode sobrevir. Isso levou Robert Browning a escrever: 'Receba de bom grado cada rejeição que transforma a maciez da vida em aspereza'".

As rejeições podem vir acompanhadas de verdade. A oposição nos refina e fortalece.

Fred alinha seu pensamento com o desafio de Jesus para amarmos nossos inimigos, aconselhando o amor firme e disciplinado, perdoando-os porque isso "nos liberta da acidez da inimizade".

Nem sempre os bons tempos permanecem. As ótimas organizações podem perder sua dinâmica. A vida e o trabalho são difíceis para todos nós. Mas podemos escolher nossa atitude. E podemos buscar uma causa comum com aqueles de espírito semelhante ao nosso, que reconhecem o potencial positivo das pessoas e de nossos frágeis ambientes de trabalho.

Questões para debate

- Quando ocorrem eventos negativos em seu local de trabalho, com quais emoções e reações você luta?
- Se você deixar as reações prejudiciais crescerem e começar a basear nelas suas ações, o que pode lhe acontecer?
- Que ações positivas ou passos de prevenção você pode utilizar para sobreviver aos maus momentos e prosperar em meio a eles?

É incrível o que somos capazes de fazer quando não queremos receber todo o crédito. Descobri que nada é ideia de uma pessoa só.
DAN TULLY

Quem quiser tornar-se importante entre vocês deverá ser servo.
JESUS

Os líderes servos ouvem e aprendem daqueles que lideram. Evitam a armadilha em que tantos supostos líderes caem: a soberba da ignorância.
BILL POLLARD

8

RADIOGRAFIA DO CINISMO

Eventos condecorativos podem ter o efeito oposto ao esperado, mas a valorização autêntica empodera

Em um pequeno hospital especializado, os funcionários se reuniram com o coautor Paul White para uma sessão de treinamento sobre como comunicar valorização pessoal no ambiente de trabalho. Uma das enfermeiras levantou o queixo, olhou diretamente para Paul e disse bem aquilo que estava sentindo: "Não ouvi nada de positivo sobre meu trabalho ao longo dos últimos dois anos. Agora estamos fazendo esse treinamento e você espera que eu acredite quando eles disserem que me valorizam? Mas isso não vai acontecer mesmo!".

Paul já havia ouvido palavras francas como essas antes em seu trabalho com supervisores e equipes de trabalho. A princípio, todo o cinismo e toda a negatividade com que deparou o surpreenderam, mas ele acabou concluindo que isso era comum nos diversos tipos de organizações. Por exemplo, quando perguntava sobre programas de reconhecimento aos funcionários, ouvia suspiros e via pessoas revirando os olhos. Escutava comentários sarcásticos, como: "Sim, nós temos um programa de reconhecimento aos funcionários", seguido por: "Mas é uma piada. Ninguém leva a sério. A pessoa ganha um certificado ou uma vaga especial de estacionamento. Tanto faz".

Muitos funcionários ressentem-se de iniciativas da administração, como a divulgação de um novo *slogan* corporativo ou a ênfase em se importar com os clientes. Por quê? Um gerente de nível intermediário disse a Paul: "É difícil fazer os funcionários acreditarem que a empresa se importa com os clientes quando as decisões e políticas que vêm do topo estão focadas no aumento do lucro por meio da redução dos serviços ao cliente!".

As pesquisas mostram que, quando os membros da equipe se sentem valorizados, o índice de satisfação dos clientes aumenta. Que irônico, então, constatar que "promover" a valorização dentro do ambiente de trabalho faça justamente o contrário!

Pouco tempo atrás, Paul estava conversando com um amigo, gerente executivo de uma grande empresa privada, que acabou comentando: "Sim, na última quinta-feira eu precisei ir ao banquete anual de reconhecimento de funcionários". Ele explicou que precisava comparecer a cada cinco anos.

— E como é? — perguntou Paul. — O que acontece?

— Nada de mais. Todo ano é a mesma coisa. Aqueles que receberão os prêmios fazem uma fila, o nome é chamado, a pessoa cruza o palco, recebe uma placa, aperta a mão do CEO, tira foto com ele e então sai de cena.

Paul perguntou o que ele achava sobre isso.

— Para falar a verdade, é meio doido. Eles fazem o mesmo programa todo ano. Não tem sentido, é uma perda de tempo. Mas somos obrigados a ir.

Uma perda de tempo. Essa é uma reclamação comum. Por exemplo, um consultor vai a uma organização, faz um treinamento de pessoal e os funcionários recebem a tarefa de elogiar os colegas de trabalho ou escrever bilhetes de agradecimento. Todos são forçados a participar, quer os elogios sejam genuínos, quer não. Após algumas semanas, há novo treinamento, a depender da "moda" naquele mês, talvez um programa de avaliação da personalidade. Com frequência, as pessoas sentem que todo esse processo não passa de uma encenação para fazer a administração ficar bem na fita. Os funcionários se sentem usados, empurram com a barriga, fazem o que lhes ordenam (às vezes, com sinceridade, mas, quase sempre, de maneira superficial) e não levam o programa nem um pouco a sério. Esse processo repetitivo fomenta a desconfiança que existe por trás dos panos.

Às vezes, a fonte do cinismo não reside em erros administrativos. As pessoas carregam as próprias feridas para dentro do ambiente de trabalho. Muitas sentem que têm o direito de ser cínicas porque gente próxima as magoou e falhou com elas diversas vezes, e porque têm uma experiência de vida difícil e dolorosa. Em essência, o cinismo é a desconfiança dos motivos — de que os outros não se interessam por ninguém, a não ser eles próprios. Quem tem uma perspectiva cínica costuma ser irritadiço também. O cinismo está menos ligado a situações especiais e mais à maneira de enxergar a vida. Os cínicos concluíram que os seres humanos não são dignos de confiança e acreditam que, caso venham a confiar nos outros, as pessoas podem tirar vantagem deles ou causar-lhes mágoa.

Diante de funcionários que têm essas feridas profundas, os gerentes podem fazer perguntas como: "Por que você acha que o programa não é sincero? O que poderia ser feito de maneira diferente para funcionar para você?". Talvez surja um pequeno raio de luz e as coisas mudem.

Contudo, levando em conta as tantas histórias dos capítulos anteriores, é fácil entender por que os programas de reconhecimento podem alienar em vez de inspirar.

* * *

Hospitais, escolas e agências governamentais, com a burocracia que lhes é inerente, são celeiros naturais do cinismo. Empresas sujeitas a regulamentações rígidas do governo também passam pela mesma ambientação tóxica. As regras superam o bom senso, e os funcionários se curvam diante disso.

Caleb, segurança de uma refinaria, foi inteligente o bastante para reconhecer como os funcionários poderiam reagir às severas regras e regulamentações governamentais colocadas em vigor após os atentados de 11 de setembro de 2001 para proteger a refinaria contra ataques terroristas. Ele era novo na função, e sua pós-graduação nada tinha a ver com petróleo. Sem outras opções, porém, aceitou o cargo. Embora não tivesse experiência, recebeu a responsabilidade de garantir que a refinaria cumprisse por completo as rigorosas ordens do governo.

Para alguém que não recebeu treinamento adequado, essa é uma tarefa assustadora. Logo depois que ele começou a trabalhar ali, agendaram um exercício de reação a um ataque terrorista com reféns; a simulação incluiria o FBI, quatro unidades policiais, duas equipes da polícia de operações especiais e, claro, todos os funcionários. Caleb foi informado de que, por ser o oficial da área de cumprimento das regulamentações governamentais, seria o responsável por coordenar tudo. No aspecto mais imediato, deveria dirigir reuniões mensais de segurança com os funcionários. Foi nisto que ele pensou ao enfrentar toda essa situação:

> Na primeira reunião, fiquei apreensivo, pois havia muito "material combustível" no ar, como o ressentimento contra a hierarquia e tensões entre os trabalhadores do setor de produção e da área administrativa. Era "nós" contra "eles". Todos queriam estar preparados em caso de um ataque terrorista ou de um sequestro de reféns, mas eu era visto, em grande medida, como alguém que só estava ali para dificultar a vida deles. Ao olhar para os operários sentados à minha frente, com o macacão sujo, mostrando que trabalhavam o tempo todo em condições perigosas, eu sabia bem o que eles estavam pensando: "Você fala como se fosse um de nós, mas todos sabemos que não é".

Ao olhar para os operários sentados à minha frente, eu sabia bem o que eles estavam pensando: "Você fala como se fosse um de nós, mas todos sabemos que não é".

Caleb sabia que ficaria em uma posição delicada com os operários se não conseguisse aliar suas falas à ação. Quando as organizações alegam ser ótimos locais de trabalho mas a prática revela o oposto, elas se tornam grandes celeiros de cinismo. Caleb sabia que precisava mostrar que entendia os problemas dos operários, mas também necessitava encontrar maneiras práticas de resolvê-los.

> Percebi que precisava ajudá-los a perceber que eu não iria apenas lhes enfiar a burocracia governamental goela abaixo. As novas regras eram um grande incômodo; e eu sentia empatia genuína por eles. Disse que compreendia como era difícil e que nós simplificaríamos o máximo possível. Então, expressei forte apreço pelo trabalho árduo que desempenhavam.
>
> Ao falar essas coisas, vi a expressão do rosto deles enternecer e relaxar.
>
> Cumprimos nossas promessas e batalhamos por elas. Uma das regras exigia que cada funcionário fosse até determinado local, fora da empresa, para submeter-se a uma conferência de antecedentes a fim de obter um novo cartão identificador, mas conseguimos dar um jeito de eles pegarem o cartão na própria companhia. As rodas da engrenagem do governo se movem devagar e com muitos ruídos: levamos um ano e meio para conseguir os cartões. Mas facilitamos e simplificamos o processo o máximo possível.
>
> Meu patrão era um indivíduo interessante, um veterano da Guerra do Vietnã. Havia trabalhado como operário na refinaria. Era um cara simples, com ótimo senso de humor. Os funcionários o respeitavam, e ele tinha o dom de acabar com as tensões. Eu tinha um grau de escolarização formal muito maior do que meu chefe e poderia ter cometido o grave erro de me sentir superior a ele. Em vez disso, ele se tornou um grande mentor e guia. Sentia-me muito feliz por aprender com ele.
>
> Ao olhar para trás, reconheço que o motivo para os anos que passei naquela organização terem se tornado uma doce lembrança em minha vida começou com a empatia genuína pelos funcionários e com o reconhecimento do impacto daquilo que eu precisava requerer deles. Ao expressar-lhes apreço verdadeiro, eu os ajudei a perceber que os valorizava como pessoas e reconhecia a importância de seu trabalho duro.
>
> A valorização quebrou as barreiras.

* * *

O que é que mais afeta o grau de apreço das pessoas pelo próprio trabalho? Primeiro e mais importante: as pessoas prosperam quando se sentem *valorizadas* pelos supervisores e colegas — e isso significa que elas reconhecem que a valorização é autêntica, feita de coração.

Pesquisas de opinião descobrem, diversas vezes, que os benefícios salariais não são o fator-chave para a satisfação dos funcionários. É mais importante o sentimento de que são genuinamente valorizados pela empresa e de que seu emprego os torna parte de algo significativo.

As empresas entenderam essa mensagem, e os programas de reconhecimento aos funcionários proliferaram. Estima-se que cerca de 90% das organizações dos Estados Unidos disponham de algo dessa natureza. Todavia, é intrigante observar que, ao mesmo tempo, a satisfação dos funcionários *diminuiu*. Muitos gerentes se sentem frustrados e confusos sobre o modo de apoiar e incentivar sua equipe.

Já se afirmou que o espírito humano necessita de elogios assim como as flores precisam da chuva e do sol. Sem umidade e luz, as flores murcham e, sem valorização, as pessoas minguam também. Mas não se pode simplesmente derramar reconhecimento sobre as pessoas assim como a chuva cai sobre as flores. Nem todos se sentem valorizados da mesma maneira. A valorização deve ser expressa na linguagem e por meio das ações mais importantes para quem as recebe.

Na seção "Guia de sobrevivência e *kit* de ferramentas", apresentada adiante, abordamos maneiras de comunicar aquilo que já foi provado ser essencial: valorização autêntica. Nós a denominamos o "antídoto para as culturas cínicas".

Nesse guia, você encontrará muitas outras dicas práticas e de fácil leitura. Mergulhe nelas. Esperamos que encontre *insights* que atendam às suas necessidades.

* * *

Conforme Studs Terkel observou, o trabalho está ligado à "violência tanto do espírito como do corpo". Ele não estava se referindo especificamente a chefes ou culturas tóxicas, mas, sim, a trabalhadores de uma ampla gama de empregos, gente que enfrenta demandas e realidades que requerem coragem e resiliência.

Trabalhar é difícil e, às vezes, ser líder no ambiente de trabalho é mais difícil ainda. Não é de espantar que haja tantos livros escritos sobre liderança!

Uma obra recente da indústria de saúde se chama *Leadership in the Crucible of Work* [Liderança no cadinho do trabalho]. Em geral, em inglês, a palavra para "cadinho" é usada para se referir a pressões extremas, em expressões idiomáticas como "o cadinho da guerra" ou "o cadinho da presidência dos Estados Unidos". Afinal, o cadinho é uma área oca no fundo de uma fornalha onde os metais são refinados por meio do calor extremo. Mas Sandy Shugart, líder de uma rede de hospitais há tempos e agora reitor de uma faculdade, escreve neste livro que tanto os líderes como as pessoas em profissões comuns vivenciam o calor e as pressões de um cadinho dentro do ambiente de trabalho. É inevitável. E, quando tóxico, o calor marca de maneira ainda mais dolorosa.

Ele escreve:

> O líder de uma ótima organização do setor de serviços em nossa comunidade contaminou tanto o empreendimento pelo caráter tóxico de seus hábitos de controle e manipulação que ninguém consegue trabalhar ali por muito tempo sem ficar com feridas permanentes. Por fora, ele projeta competência, sabedoria e até a aparência de líder servo, mas sua equipe sabe que ele é extremamente conflituoso e punitivo. A própria infelicidade dele nessa condição miserável só aumenta o sarcasmo à espreita de ser liberado quando alguém falha em atender às suas expectativas, que mudam a todo instante. Externamente, sua organização pode parecer eficiente, até analisarmos o que ela poderia ser, as possibilidades criativas que foram esmagadas e os colegas talentosos que se encontram exilados. E esse líder está acordando aos poucos para a prisão que ele próprio criou. Que tristeza!

Shugart adverte que devemos reconhecer o fato de as ferramentas de liderança serem "inerentemente perigosas tanto para o líder como para o liderado" e que devemos procurar sinais de erosão em nosso caráter. Por exemplo, a prestação de contas pode degenerar em coerção, a persuasão pode se transformar em pressão, e a negociação, em manipulação. O líder autêntico enfrenta a tentação de imitar outros líderes acima dele (ou ao seu lado) que envenenam as relações de trabalho.

As melhores literaturas sobre liderança insistem em integridade, confiança e caráter. Alguns de nós podem liderar o topo de uma organização, estar na gerência intermediária ou até mesmo atuar na linha de frente. Quando acusações, brigas e ameaças aparecem em nosso caminho, a reação natural pode ser estourar ou jogar a culpa nos outros. Contudo, isso inflama ainda mais as disfunções.

É aqui que entra a oração de Francisco de Assis. Não são apenas as pessoas religiosas que consideram esta conhecida prece um instrumento psicologicamente válido e muito prático. Sua sabedoria pode ser encontrada em inúmeras paredes de escolas, hospitais, centros de aconselhamento, igrejas e negócios. Ela cria um estado mental de paz e poder. É muito simples, mas bem diferente dos padrões de pensamento vigentes na atualidade:

> Senhor, faze-me instrumento de tua paz. Onde houver ódio, que eu semeie o amor; onde houver discórdia, o perdão; onde houver dúvida, a fé; onde houver desespero, a esperança; onde houver tristeza, a alegria; onde houver trevas, a luz.

A oração prossegue, enfatizando o consolo aos outros em vez de a nós mesmos, a preocupação maior em compreender do que em ser compreendido... e também o amor e o perdão. Além do valor espiritual da prece, estão princípios práticos — incluindo o poder para desviar a mente dos próprios problemas a fim de alcançar paz interior. Extremamente aplicável aos ambientes de trabalho atuais!

Questões para debate

- Você já participou de algum treinamento que lhe pareceu superficial? O que poderia ter sido feito para que as coisas soassem mais genuínas?
- Você luta contra a tentação de mostrar-se cínico diante de algo em seu trabalho? Você desconfia dos motivos dos outros? Se sim, por quê?
- Você conhece alguém que se relaciona de modo autêntico com os outros? Consegue imaginar meios de se tornar mais parecido com essa pessoa?

GUIA DE SOBREVIVÊNCIA E *KIT* DE FERRAMENTAS

Até mesmo aqueles de nós que estão há tempos no mercado de trabalho correm o risco de ser cegados por pessoas venenosas e chefes abusivos. O triste fato é que esse tipo de gente está por toda parte. Em uma pesquisa, 64% dos entrevistados afirmaram trabalhar com uma pessoa tóxica e 94% já haviam trabalhado com alguém tóxico ao longo da carreira. Em um estudo com enfermeiros, 91% disseram ter passado por experiências que os fizeram se sentir atacados, desvalorizados ou humilhados. E pense nisto: dentre os enfermeiros, mais da metade não acreditava ser competente para responder ao abuso verbal.

É por isso que criamos este guia! Poucos de nós, por mais inteligentes que sejamos, se sentem totalmente competentes para lidar com as realidades de um ambiente de trabalho que faz mal. Esperamos que este guia forneça algumas ideias e estratégias para ajudá-lo a sobreviver e prosperar em seu local de trabalho.

SEU AMBIENTE DE TRABALHO É TÓXICO?

Lista com dez itens rápidos para você descobrir

- ☐ 1. Intenções ocultas caracterizam a comunicação e o processo de tomada de decisões; as questões não são abordadas de forma aberta.
- ☐ 2. Os departamentos raramente trabalham juntos para alcançar objetivos comuns.
- ☐ 3. Os líderes seguem o padrão de dizer uma coisa e fazer outra.
- ☐ 4. Todos se sentem pressionados a manter as aparências.
- ☐ 5. Os gerentes consideram que as pessoas estão ali apenas para cumprir tarefas e demonstram pouco interesse em conhecê-las pessoalmente.
- ☐ 6. Supervisores ou gerentes manipulam os membros da equipe, envergonhando-os ou demonstrando raiva.
- ☐ 7. Apatia, cinismo e falta de esperança marcam o ambiente de trabalho de modo geral.
- ☐ 8. Regras e procedimentos são, em grande medida, ignorados.
- ☐ 9. Os funcionários sentem pouca responsabilidade por suas ações e decisões.
- ☐ 10. As pessoas são "usadas" em benefício da organização e descartadas quando deixam de ser consideradas úteis.

Não existe uma contagem de pontos formal para essa lista, mas é claro que, quanto mais itens forem marcados, mais tóxico é o ambiente de trabalho.

ANTÍDOTO PARA AS CULTURAS CÍNICAS: VALORIZAÇÃO AUTÊNTICA

Em seus ambientes de trabalho, as pessoas desejam desesperadamente ser valorizadas e reconhecidas, mas a dura realidade é que a maioria não o é — pelo menos não pelas organizações, por seus supervisores e colegas. E, quando os funcionários não se sentem reconhecidos, coisas ruins acontecem:

- Eles se sentem desvalorizados e usados. Chegam tarde ou telefonam alegando estar doentes.
- Não gostam do trabalho, não seguem as políticas e os procedimentos internos; a produtividade cai.
- Aumenta o furto por parte dos funcionários e diminui a satisfação dos clientes.
- Atitudes negativas e irritabilidade causam tensões; cresce o giro de funcionários.

Em contrapartida, quando os membros da equipe se sentem valorizados, seguem-se resultados positivos:

- Os funcionários reclamam menos, os gerentes apreciam o trabalho, e todos perseveram na solução de problemas.
- É perceptível o aumento da lealdade entre os membros da equipe e os clientes.

- Ocorrem menos casos de licença médica e menos acidentes no local de trabalho.
- As pesquisas são claras acerca dos benefícios.

As organizações sabem muito bem disso tudo, e a maioria delas já instituiu programas de reconhecimento de pessoal. No entanto, muitos gerentes e funcionários da linha de frente veem essas iniciativas com cinismo e apatia porque, com frequência, elas não transparecem autenticidade.

Como isso pode mudar? É preciso muito mais do que boas intenções, conforme já aprenderam supervisores frustrados. Os coautores Gary Chapman e Paul White abordam essas questões no livro *As cinco linguagens da valorização pessoal no ambiente de trabalho*, desvendando princípios cruciais, que incluem:

- Comunicar apreço regularmente, e não só no relatório anual ou em eventos de reconhecimento de funcionários.
- Valorizar de maneira pessoal, e não todo o departamento. Reconhecimento feito de forma automática não é o mesmo que valorização autêntica.
- Relacione a valorização a uma ação ou atributo de caráter específicos em vez de dizer um genérico "Bom trabalho!". E comunique com autenticidade. Descubra aquilo que você pode valorizar de forma genuína, mesmo se parecer pequeno, pois um elogio pequeno é bem melhor do que um cumprimento forçado. Se você não valoriza seu colega, fingir torna as coisas bem piores.
- Torne a manifestação de apreço parte de suas atividades diárias de trabalho.
- Incentive a valorização entre os colegas. O clima de uma organização depende de fatores que vão muito além da imposição de um estado de espírito.
- Lembre-se de que nem todos se sentem reconhecidos da mesma forma. Por exemplo, nem todos valorizam

elogios verbais ("falar é fácil"). É vital comunicar o reconhecimento usando a linguagem e as ações valorizadas por quem o recebe, e isso varia significativamente. As pessoas têm diferentes linguagens de valorização pessoal, que incluem palavras de afirmação, atos de serviço, presentes tangíveis, tempo de qualidade e toque físico.

AS DEZ PRINCIPAIS CARACTERÍSTICAS DOS LÍDERES TÓXICOS

Por que existem tantos chefes ruins? Enquanto fazíamos a pesquisa para este livro, ficamos surpresos ao descobrir que grande parte de nossos contatos profissionais tinha histórias tristes para compartilhar; também nos surpreendemos ao ver como muitos deles suportaram chefes tóxicos por tempo demais. Como tantas pessoas inteligentes demoraram todo esse tempo para confrontar aqueles que lhes estavam arruinando a vida?

Como você viu, as respostas são complicadas.

Quando entramos em uma empresa, não esperamos encontrar frutas podres nas posições mais altas. Além disso, líderes tóxicos costumam ser brilhantes em fazer suas maldades parecerem "naturais".

Mas precisamos fazer uma advertência: os ambientes de trabalho não necessitam de líderes tóxicos para se tornarem prejudiciais. Isso acontece de muitas formas, dentre elas estruturas ou procedimentos ineficazes, problemas de comunicação ou apenas alto número de funcionários disfuncionais. A identificação dessas características não deve dar início ao processo injustificado de atribuição de culpa.

Dito isso, ao analisar alguns fatos perturbadores sobre líderes tóxicos, é possível que algumas luzes se acendam em sua mente. E ver através dos disfarces pode poupar uma dor considerável a você ou a um amigo. Há também o benefício que hesitamos em mencionar: uma vez que todos temos nossas peculiaridades, se, ao analisar essas características, conseguirmos identificar uma fagulha mínima delas dentro de nós, precisaremos fazer um trabalho de busca interior.

É claro que há vários tipos de líderes tóxicos, e a gravidade da doença deles varia. Algumas características se sobrepõem às outras, visto que tantas delas surgem de uma mesma dinâmica principal: o egocentrismo excessivo.

Eles impressionam (pelo menos inicialmente). Em geral, são articulados, socialmente habilidosos e convincentes. Podem ser fisicamente atraentes, ter um currículo impressionante ou vir de uma família famosa ou bem-sucedida. Talvez sejam inteligentes ou tenham ótimas habilidades na esfera técnica de um negócio. Chegam à posição de liderança por vias diversas. Muitos são contratados por causa de sua aura inicial de habilidade e talento. Outros sabem empolgar as pessoas com sua sagacidade ou demonstram ser capazes de motivar os outros para produzir resultados positivos. Alguns chegam ao poder em negócios da família ou por meio de contatos. Às vezes, começam de forma saudável, mas, com o tempo, pressões e concessões degradam sua integridade.

São radicais em alcançar metas. A maioria dos líderes tóxicos tem intenso compromisso com o alcance de metas — ou, pelo menos, aparenta fazê-lo. Muitos têm capacidade de lançar novas ideias e motivar pessoas e, para aqueles a quem devem prestar contas, sabem "falar o que eles querem ouvir". Hiperfocados em realizações, usam todos os seus recursos na conquista de objetivos e costumam fazer outros realizarem as tarefas em lugar deles. É importante notar, porém, que as metas deles nem sempre são as mesmas da organização. Elas são impulsionadas por interesse próprio e autopromoção. Além disso, usam os recursos da empresa para ajudá-los a alcançar objetivos pessoais.

São manipuladores. Os líderes tóxicos são mestres na arte de manipular — tanto informações como pessoas. São especialmente adeptos em manter as aparências, fazendo as coisas parecerem bem quando, na verdade, não estão. Com frequência, selecionam os fatos que embasarão seu posicionamento, manipulando o modo de apresentar as informações. Alguns têm a habilidade de manipular a mídia para promover a própria imagem e proclamar seu sucesso. Escolhem não apenas o que vão compartilhar, mas também quando, com quem e de que maneira o farão, mantendo controle acirrado de todos os dados reais. Por meio da culpa, da vergonha e da ameaça de ridicularização, os líderes tóxicos manipulam os que trabalham para eles, colegas e parceiros estratégicos e, às vezes, até aqueles para quem trabalham. Chegam a recorrer à chantagem, com ameaças do tipo: "Se você não cooperar, sabe o que vai acontecer".

São narcisistas. Os líderes tóxicos realmente acreditam que são superiores — mais inteligentes, espertos e talentosos. Consideram que todos os bons resultados se devem a seu talento, esforço e liderança. Em consequência de sua óbvia "superioridade", concluem naturalmente que devem vir em primeiro lugar: suas necessidades (em geral inúmeras), sua imagem, seu sucesso. Tudo gira em torno deles, embora costumem pintar o cenário como se desejassem o melhor para a organização ou clientela. Não afirmam isso em público, mas acreditam que as regras não se aplicam a eles; em vez disso, teriam sido criadas para pessoas simples que necessitam delas e não entendem a causa maior ou o chamado do líder. Quando não recebem a atenção que julgam merecer ou precisam compartilhar os holofotes, ficam extremamente chateados e descontam nas pessoas ao redor. Acreditam que são a razão de todas as coisas boas que acontecem e que devem receber o crédito por isso.

Roubam o crédito do sucesso alheio. A maioria dos líderes tóxicos não tem o menor escrúpulo de assumir total responsabilidade por qualquer sucesso ou quando algo parece ir bem. Estejam envolvidos ou não, se o resultado positivo acontecer perto de sua presença ou influência, proclamam que tudo foi consequência de sua percepção privilegiada, seus *insights* e empenho. Quando a equipe se compromete com horas e esforços extras para que um evento seja bem-sucedido, o trabalho dos membros da equipe não é mencionado — o líder recebe toda a glória. É ainda mais problemático quando alguém trabalhou muito duro, por longas horas, para conseguir transformar um fracasso iminente em sucesso. Todos os envolvidos sabem quem é o real responsável, mas mesmo assim o líder tóxico assume todo o crédito e, muitas vezes, tem a audácia (e a capacidade) de fazer o verdadeiro herói ser malvisto no processo.

Demonstram uma atitude de superioridade. Com a visão narcisista que têm a respeito de si mesmos, os líderes tóxicos quase sempre se relacionam com os demais demonstrando uma atitude de superioridade — exceto quando elogiam os outros para manipulá-los. Esperam ser servidos pelas pessoas, a despeito da posição que elas ocupam. Gentis e socialmente suaves em público, reservam o ar de superioridade para o ambiente de trabalho. Em encontros públicos, podem agir com civilidade e cooperação, mas depois, em particular, derramam sua raiva e desdém pelos outros.

Por acreditarem que ninguém é tão talentoso e brilhante quanto eles, creem que suas ideias sempre devem ser acolhidas com respeito e deferência. Saiba de antemão: não os desafie na frente dos outros. Quando não sentem que recebem o respeito devido, acabam com aqueles que consideram uma ameaça à sua autoridade. Em reuniões, podem se voltar contra membros da equipe, lançando mão de insultos, ira ou sarcasmo.

Não são autênticos. A princípio, os líderes tóxicos podem agir como se tivessem preocupação profunda pela causa da organização e por seus funcionários. Aliás, um dos perfis de líderes tóxicos é o líder caloroso e sociável que projeta a imagem de se importar muito com os outros. Mas trata-se de uma encenação superficial, a fim de alcançar um objetivo. Com o tempo, sua personalidade real se torna aparente para todos ao redor.

Quando essa fachada começa a ruir, alguns dos membros da equipe reagem tentando encobrir as deficiências do líder. Por quê? É possível que a equipe queira alcançar as metas em vez de demonstrar que foi enganada. Ou os funcionários podem ser prejudicados caso as disfunções e os atos do líder sejam descobertos. Por isso, dão continuidade à farsa. Outros perdem a confiança no líder, começam a se distanciar e cedem ao cinismo.

A falta de autenticidade do líder se torna evidente também em outras áreas: ele não tem os talentos e as habilidades que aparenta, a experiência prévia e os diplomas podem ser uma farsa e, com frequência, os resultados que se gabava de ter conquistado em outras organizações não são verdadeiros.

Usam as pessoas. Com a desculpa de buscarem uma "causa maior", os líderes tóxicos usam e sacrificam quem trabalha para eles, por mais leais que estes sejam. Quando os objetivos não são alcançados ou comportamentos antiéticos estão prestes a ser expostos, esses líderes se tornam vingativos e, às vezes, explosivos. Ainda mais assustadoras são a raiva silenciosa e as ameaças veladas.

É raro os chefes tóxicos assumirem a responsabilidade por algo que dá errado, se é que isso acontece. São hábeis em atribuir o fracasso a outros. Têm o talento de reescrever a história e se revestirem de Teflon, sem deixar que nada de ruim se fixe neles. Questionam os membros da equipe: "Como você deixou isso acontecer? Estou absolutamente desapontado!". As pessoas podem sair de uma reunião se perguntando: "O que foi isso? Como o chefe se livrou dessa?".

Não tratam de riscos reais. Os líderes tóxicos tendem a ignorar questões que não os interessam ou que não ajudam a manter sua aparência. Assuntos cruciais à saúde de uma organização, como conflitos entre o pessoal, não são abordados. Na verdade, eles dizem à equipe: "Disputem aí e depois me contem quem ganhou". Não raro, concentram-se no ganho imediato, negligenciando consequências de longo prazo, ou simplesmente dizendo: "Tudo vai dar certo no final". Muitos líderes tóxicos prestam extrema atenção aos meios de mostrar que ajudam a organização a ter sucesso financeiro, mas ignoram a realidade da verdadeira situação econômica da empresa.

Vão embora antes de tudo desabar. Algo que a maioria dos líderes tóxicos sabe fazer muito bem é "sair de cena" antes que tudo desabe e eles sejam descobertos atrás da cortina, como na história do Mágico de Oz. Alguns lucram desonestamente ou mudam para uma organização maior e uma posição mais elevada de liderança e influência, enquanto a antiga empresa precisa recolher os escombros que deixaram: desastre financeiro, problemas legais, marca arruinada ou sistemas disfuncionais. Infelizmente, algumas organizações passam de um líder tóxico para outro porque o sistema e os procedimentos de contratação são tão insatisfatórios que elas acabam prejudicadas novamente.

COMO LIDAR COM PESSOAS DISFUNCIONAIS... E NÃO ENLOUQUECER

Em seu ambiente de trabalho, há alguém que arruína a harmonia e, a despeito do que qualquer um diga ou faça, se torna cada vez mais rebelde e discordante? Todos nós precisamos lidar com "patinhos feios" que trabalham conosco ou para nós. Sejam eles emocionalmente instáveis, feridos pela vida ou apenas de natureza ruim, suas atitudes e excentricidades podem ir muito além de um simples incômodo. Às vezes, sentimos o contato de sua negatividade ou ficamos absolutamente pasmos com comportamentos que não fazem o menor sentido.

O psicólogo e coautor Paul White já trabalhou com pessoas difíceis em vários contextos. Ao longo do tempo, passou a reconhecer padrões de comportamento comuns entre elas e começou a descrevê-las como "pessoas disfuncionais". Pode ser útil entender como esses indivíduos pensam e quais são as regras que orientam sua vida.

Disfuncional significa literalmente "com problemas de funcionamento". As pessoas que apresentam padrão disfuncional têm dificuldade de viver dentro das regras da realidade — mais notadamente, de compreender a relação entre escolha, responsabilidades e consequências. Elas tendem a negar ter feito escolhas equivocadas e preferem dar desculpas ou culpar os outros. Uma de suas frases favoritas é: "Não tenho culpa".

Com frequência, quando são pegas no ato de fazer uma escolha ruim, *desviam* a responsabilidade pela ação. "Bem, *você* deveria...", "Não é nada demais, todo mundo faz", "Eles nunca vão ficar sabendo" ou "Eles vão cuidar disso".

Ademais, as pessoas disfuncionais *dissociam* suas ações dos resultados provenientes de suas escolhas. Às vezes, parecem ter um problema no cérebro que não lhes permite ver a ligação entre o que fazem e as consequências.

A fim de obter um retrato mais completo dos comportamentos e padrões de comunicação dos indivíduos disfuncionais, analise a tabela a seguir.

Diferenças-chave entre pessoas funcionais e disfuncionais

FUNCIONAIS	DISFUNCIONAIS
Mostram honestidade, integridade	São enganosas, não contam a história toda
Comunicam-se de forma direta	Comunicam-se de forma indireta (falam "por meio de" outros)
Colocam o dever antes dos privilégios	Têm forte senso de merecimento
Assumem a responsabilidade por seus atos e respectivas consequências	Culpam os outros, dão desculpas
Adiam a gratificação	Têm necessidade de atender imediatamente aos próprios desejos
Vivem dentro da realidade, um dia de cada vez	Fogem da realidade (TV, filmes, *video games*, drogas, álcool, sono)
Economizam, sabem privar-se das coisas	Gastam em excesso, entram em dívidas
Aprendem com os erros	Esperam fugir das consequências
Perdoam e deixam de lado as mágoas do passado	Apegam-se a rancores, são vingativas
Cumprem compromissos	Assumem compromissos verbais, mas não os cumprem

FUNCIONAIS	DISFUNCIONAIS
Falam o que realmente querem dizer	Têm intenções ocultas
São "reais"	Concentram-se na imagem e na aparência
Conseguem discordar sem levar para o lado pessoal	Mostram-se raivosas, fazem ataques pessoais e manifestam ódio diante de opiniões diferentes
Mantêm limites apropriados	Sufocam os outros, usam a culpa para manipular

Assim como ocorre com a maioria dos tipos de personalidade, há pessoas disfuncionais em praticamente todos os níveis de uma organização. Contudo, quanto mais disfuncional é o indivíduo, mais difícil será para ele avançar na hierarquia, sobretudo em organizações onde funcionários e líderes precisam prestar contas pelo que fazem.

Se você trabalha com pessoas, certamente vai interagir com tipos disfuncionais, sejam eles clientes, vendedores, subordinados diretos, colegas ou supervisores.

SEIS MANEIRAS DE MANTER A SANIDADE

Digamos que você seja um gerente intermediário e alguns exemplos que demos o fazem lembrar de um comportamento tóxico parecido com o de um colega. Ou talvez um de seus subordinados diretos atrapalhe o trabalho com frequência. Ou, quem sabe, você chegue a se perguntar se um colega não é doido de verdade. Como lidar com ações imprevisíveis e inapropriadas praticadas por colegas de trabalho?

Seriam necessários vários volumes para dar uma resposta adequada a essa pergunta, mas seguem seis conselhos resumidos.

Não espere uma reação "normal". Não importa o que você fizer, é possível que seja acusado de culpa, que desconfiem de você ou que lhe digam que fez a pior coisa do mundo quando, na verdade, fez algo bom. O indivíduo disfuncional pode ficar bravo se você conversar com ele e ofendido se não conversar. A fim de sobreviver a esse tipo de atitude ou a tantas outras possibilidades de comportamento disfuncional, a abordagem sensata consiste em abrir mão da expectativa de obter uma reação saudável.

Aceite o fato de que você não pode mudar o colega disfuncional. Talvez você esteja tentando explicar algo a alguém e pense: "Mas faz tanto sentido! Por que você não entende?". Trabalhar com uma pessoa disfuncional pode dar vontade de gritar com ela por causa da teimosia ou do que parece ser puramente burrice. No entanto, a verdade é que, não importa o que você disser ou fizer, é improvável que a pessoa ouça ou mude. Você tem a experiência e a sabedoria, e sua vida está em condições muito melhores, mas esse indivíduo simplesmente o tira do sério. Se você faz o que é bom e correto, não perca o sono por causa do comportamento alheio.

Isso lhe soa desanimador? Será que as pessoas não podem mudar? Podem sim. Mas são elas que precisam decidir fazê-lo. E, com muita frequência, as pessoas com graves padrões doentios necessitam dar com a cara no muro da realidade — e reconhecer que suas crenças sobre a vida e sua maneira de viver não funcionam porque não se encaixam no modo como o mundo opera. Além disso, muitos lutam com problemas de saúde mental que distorcem a percepção da realidade e bloqueiam os esforços para efetuar as mudanças necessárias.

Estabeleça limites claros. Seja claro em relação ao que você está ou não disposto a fazer. É possível que ouça: "Você precisa consertar isto porque ajudou a fazer dar errado", ou que, se fosse uma pessoa boa, "me ajudaria a sair dessa enrascada só desta vez", mesmo que enxergue um padrão de escolhas ruins. A maioria de nós tenta mudar a outra pessoa ou ceder às suas exigências; ceder, porém, só reforça os padrões disfuncionais. Pense com cuidado sobre quais são seus limites e então comunique-os com clareza.

Não aceite falsa culpa. É possível que você seja culpado pelos problemas de outros ou seja levado a sentir culpa por não fazer o suficiente, mesmo que tenha feito tudo o que estava ao seu alcance para controlar os danos. Muitas pessoas disfuncionais são ótimas em culpar os outros; tire o fardo dos ombros.

Não leve para o lado pessoal. Em situações tóxicas, nem sempre é fácil manter distância emocional. No entanto, assim como o soldado não se surpreende quando alguém atira nele, um gerente não deveria ficar surpreso quando algo perturbador acontece. Ataques pessoais e comportamento nocivo podem abalar nosso equilíbrio, mas tente olhar a situação da perspectiva correta, levando em conta a origem da situação.

Busque afirmação consultando pessoas funcionais. Ao lidar com uma pessoa disfuncional, você pode se sentir perplexo e se perguntar sobre como está lidando com a situação. Talvez tenha chegado a pensar que desvendou tudo, mas agora não tem tanta certeza. Será que você está refletindo com clareza e reagindo de maneira adequada? Pergunte para colegas de bom senso, que podem ajudá-lo a analisar melhor.

LISTA PRÁTICA DE ESTRATÉGIAS DE SOBREVIVÊNCIA

Para facilitar a consulta, reunimos as estratégias de sobrevivência dos fins de capítulo, ampliamos um pouco algumas delas e acrescentamos outras. É possível que você encontre algo relevante para sua situação.

Chefe tóxico

Busque perspectiva. Analise as dez características dos chefes tóxicos. Se seu líder apresenta algumas delas, é possível que você precise mudar de emprego quanto antes possível. Em contrapartida, se seu chefe tem traços de personalidade frustrantes, mas você não se sente paralisado nem humilhado, talvez você encontre formas de se adaptar. Procure alguém sábio para lhe dar conselhos objetivos. Ouça novas formas de encarar as ações de seu chefe e os passos que você pode dar.

Deixe a amargura de lado. Trabalhar para um chefe tóxico pode fazer de você não apenas alguém nervoso (sentimento que pode ser útil, se usado com sabedoria), mas também amargo, tornando-o igualmente tóxico. Encontre maneiras de alimentar suas reservas internas e adquirir perspectiva. Desenvolva resistência, mas recuse ressentimentos amargos. Não deixe que uma liderança ruim comece a azedar você.

Enfrente seus medos. Todos temos medos e, com muita frequência, eles espreitam do mais profundo do nosso ser, sugando a força de vontade e obscurecendo os pensamentos. Traga-os à tona, confronte-os e reúna coragem, procurando recursos que o desafiem e inspirem.

Não se curve. Clayton, do capítulo 1, era inexperiente demais para saber que permitir o menosprezo seria visto pelo chefe como sinal verde para humilhá-lo outras vezes. No capítulo 2, Anna confrontou o chefe ao perceber que poderia ser a próxima vítima. Rejeite a cultura do medo. Defina limites claros.

Desvie a corrente letal. Aproveite outra dica de Anna, que se encontrava em uma posição capaz de amenizar a fluxo venenoso que corria em direção aos outros. Ela se determinou a fazer o que estivesse ao seu alcance. Talvez você também possa impedir que o veneno atinja os demais.

Você quer pedir demissão

Enxergue além da neblina. Muitas das histórias de funcionários descritas neste livro ilustram a importância de descobrir o mais rápido possível o que está acontecendo. Quando você chega ao ponto em que deseja pedir demissão, é possível que já tenha passado tempo demais de sua vida em uma situação tóxica. Busque clareza para saber o que de fato está se passando e consulte suas bases de apoio e *insights*.

Faça a si mesmo a pergunta difícil. Você está desistindo rápido demais? No mercado de trabalho, muitas pessoas têm chefes difíceis e trabalham com gente desagradável. Faça uma pesquisa *on-line* ou em uma biblioteca e estude todos os princípios sobre como lidar com maus chefes e empregos ruins.

Analise suas opções. Ok, você quer muito ir embora. Na maioria dos casos, pedir demissão deixa várias marcas e, às vezes, é preciso tempo para realizar a transição. Faça uma análise cuidadosa de todas as suas possibilidades, mesmo que pareçam poucas. Procure sua rede de contatos para buscar ideias e alternativas.

Ouça seu corpo. Ruth e Bill, no capítulo 1, concluíram que o contracheque não era tão importante quanto a saúde e a sanidade e, por isso pediram demissão, mas isso ocorreu depois de terem sofrido sérios danos à sua saúde física e mental. Quando seu corpo reclama de forma insistente, é hora de pôr em prática seu plano de ação — em velocidade máxima.

Encare o desemprego. Michael Gill, em seu livro sobre a rede de cafeterias Starbucks, mencionado no capítulo 3, insiste que o trauma de perder o emprego, devastador na época, acabou sendo a melhor coisa que já lhe aconteceu. O desemprego pode ser difícil ou até mesmo catastrófico para todos impactados por ele, mas acontece. Esteja você em um ambiente de trabalho positivo ou explorador, reúna coragem e prepare-se para analisar quais serão os próximos desafios, a aventura seguinte.

Seu ambiente de trabalho é um campo de batalha

Reconheça a regra das emoções. Os psicólogos destacam que somos mais emocionais que racionais. Embora possamos pensar que somos guiados pela lógica e pelo bom senso, na maioria das vezes agimos e reagimos com base nos sentimentos. Quando as emoções agitarem as águas, respire fundo e deixe a gratidão pelas coisas boas e seu bom senso prevalecerem. Isso acalmará você.

Resista à retaliação. Florence Nightingale aconselhou muito tempo atrás: “Não entre em guerras de papel”. Hoje em dia, tome cuidado com as guerras por *e-mail*; elas podem multiplicar seus problemas. Como declara um provérbio chinês, o caminho da vingança significa que você cava duas sepulturas, e a sua é uma delas.

Tenha os próprios planos. Não permita que os outros determinem suas reações. Se seus colegas de trabalho estiverem infectando o ambiente com fofocas ou disputas destrutivas, ou ainda diminuindo você ou espalhando veneno, cuspa-o para fora antes que ele consiga invadir seu corpo. Desenvolva formas positivas de reagir.

Supere os ataques. Oswald Chambers declarou aquilo que chamou de ponto pacífico: "A vida sem guerra é impossível". Ele descreveu a saúde como "ter vitalidade suficiente do lado de dentro para combater as coisas de fora". Assim como nosso corpo combate germes, ao longo da vida precisamos lidar com todo tipo de "fatores letais". Chambers afirma que precisamos reunir força espiritual para "superar as coisas que vêm contra nós", uma maneira interessante de reagir com vitalidade aos ataques ou reveses inesperados.

Ajude os feridos. Se facas verbais estão perfurando você, é possível que outros também estejam sangrando. Estender a mão a eles com um raio de esperança ou um bom conselho pode ajudá-los e, ao mesmo tempo, animar seu próprio espírito.

Apague a fogueira. Atitudes são contagiosas, mas o espírito positivo também o é. O sarcasmo e o assassinato do caráter são comuns? Responda com gratidão e reconhecimento, da maneira que puder. Pode ser que você encontre outras pessoas com mente e espírito semelhantes que possam ajudá-lo a neutralizar os explosivos letais.

Conflito, excesso de trabalho e exaustão

Compreenda a natureza do estresse. Sentimos estresse quando as demandas são maiores do que os recursos que temos para atender a elas. Mas nossa perspectiva pessoal pode aumentar o enfado. Precisamos aprender a administrar nossas expectativas.

Faça uma atividade física. Para aqueles de nós que reviram os olhos diante das recomendações de suar a camisa, as pesquisas mais recentes deixam absolutamente claro que o acréscimo de até mesmo um pouquinho de exercício a uma vida sedentária faz uma diferença enorme. Como disse um executivo: "O exercício é a parte mais fácil do quebra-cabeça. Para mim, é o que proporciona a maior recompensa".

Desenvolva hábitos empoderadores. Certo homem na casa dos 70 anos e criador de um conglomerado multibilionário nos surpreendeu com sua franqueza a respeito de suas rotinas pessoais. "Tudo gira em torno de estabelecer os hábitos certos", ele nos contou, "e ainda estou trabalhando nisso." Um professor nos ouviu mencionar isso e comentou: "Eu sou assim também. Anos atrás, escrevi um lembrete para mim mesmo que dizia: 'Que bom hábito você ajudou a desenvolver hoje?'. Continuo me esforçando para isso — e vale a pena!". Ao longo da vida, os hábitos são capazes de libertar e empoderar, contribuindo para nossa capacidade de lidar com as inevitáveis pressões e dores.

Reconheça que os hábitos prevalecem sobre a força de vontade. Pesquisas recentes apontam que todos nós temos uma força de vontade muito limitada! É aí que entram os hábitos — precisamos que eles tomem a frente quando a força de vontade se mostrar fraca. O poder notável dos bons hábitos físicos, mentais e espirituais está bem documentado. Às vezes, podemos nos desanimar com nossa falha em cumprir as resoluções que fazemos. Contudo, assim como aquele executivo bem-sucedido aos 70 e poucos anos, descobriremos o poder dos hábitos quando nosso corpo fizer naturalmente aquilo que gostaríamos que ele realizasse em nossos melhores momentos.

Nova liderança no topo da instituição

Fique atento aos sinais de advertência. As mudanças seguem cada vez mais aceleradas, e mesmo nas melhores organizações novas demandas, transições e falhas em cumprir expectativas levam à tentação de pôr fim às melhores condutas. Qualquer que seja sua posição, se vir algo que o incomode, analise suas melhores práticas pessoais à luz do que está acontecendo.

Afirme os valores institucionais. A maioria das organizações tem compromissos de valores registrados por escrito. Analise-os com cuidado e compare-os com o que você nota no dia a dia. Demonstre apoio e dê o benefício da dúvida à nova liderança, mas saiba quais devem ser os compromissos dela.

Compare com as "melhores práticas". Caso você esteja se perguntando se o que acontece em seu ambiente de trabalho simplesmente "faz parte do pacote", pesquise o que ocorre em outros lugares. Tenha uma rede de contatos para saber qual é a dinâmica em organizações semelhantes.

Ajude a remar. Talvez você tenha poder para colocar a organização nos eixos, talvez não. Mas o ato de manter seu remo dentro da água pode fazer a diferença necessária.

Mudanças tóxicas

Respire fundo e fique esperto. Bons e até mesmo ótimos ambientes de trabalho podem se tornar ruins, conforme vimos no capítulo 7. Conhecemos um líder que transmitiu o título de CEO ao filho, e este destruiu boa parte daquilo que o pai havia construído. Funcionários antigos e leais foram demitidos, as ações da companhia afundaram e seus milhares de funcionários foram pegos em meio ao tumulto. A "descida para o lado sombrio" pode acontecer com rapidez, mesmo nos melhores locais de trabalho. Permaneça alerta e prepare-se mental e espiritualmente. Não permita que as glórias do passado o ceguem para a realidade do que está acontecendo. Se você precisar ir embora para sobreviver à tempestade, não espere.

Seja firme. Firmeza mental e firmeza espiritual andam juntas. Aprofunde o compromisso com seus valores mais essenciais e mentalize maneiras específicas de partir para ações positivas. Leia um livro sobre esse assunto, como *Stress for Success* [Estresse para o sucesso], de James Loehr.

Cresça com as mudanças. Muitos de nós estão cansados de ouvir esse mantra, sobretudo quando precisamos lidar com mudanças que destroem aquilo que nos é mais importante. Contudo, a aceleração implacável das mudanças requer flexibilidade, quaisquer que sejam nossas habilidades e funções. Movemo-nos rapidamente rumo ao futuro, e o futuro logo será muito diferente. Assim como um imigrante em uma terra de costumes e idioma estrangeiros, precisamos nos adaptar o tempo inteiro e cultivar uma mentalidade que preserve tanto nossa integridade quanto nossa capacidade de contribuir.

O ABUSO DO ANEL DO PODER

Entrevista com uma médica/administradora/professora que passou por isso

Em nossa pesquisa para este livro, chegamos à conclusão de que a dra. Lauretta Young era a pessoa perfeita para ser entrevistada. Que outra pessoa é médica com muita experiência em administração, leciona em um curso de MBA sobre como liderar com integridade e ocupa um alto cargo em uma grande instituição de saúde, além de ter vivenciado pessoalmente a devastação que um CEO tóxico provoca no ambiente corporativo?

Qualquer que seja a discussão sobre os atuais ambientes de trabalho, a dra. Young contribui com riqueza de ideias e profundidade profissional. Ela já supervisionou o treinamento de cuidados de saúde e o gerenciamento da qualidade, e atuou como chefe de um departamento com mais de 250 médicos. É formada em psiquiatria e neurologia. É diretora do programa de resiliência estudantil e professora do curso de MBA em saúde na Oregon Health Services University. O que segue é a versão condensada de várias conversas que tivemos.

Você foi chefe do departamento de saúde mental de uma grande organização de saúde. Conte-nos o que aconteceu.
Atrasos no faturamento levaram a uma perda de 30% dos lucros, e isso desencadeou decisões catastróficas. A diretoria contratou um novo CEO que, em vez de resolver os problemas sistêmicos, culpou os gerentes e médicos. Pessoas que tinham dado a vida pela companhia foram dispensadas, e uma memó-

ria organizacional imprescindível se perdeu. O novo líder se concentrava em culpar os outros. Ele não tinha misericórdia.

Qual foi a extensão dos danos?

Quando eu era chefe, tínhamos uma rotatividade muito baixa. Nos quatro anos desde que saí, houve a troca de 100% dos psiquiatras, gerando um custo astronômico para a instituição. Eles foram embora porque estavam sofrendo abusos.

A prestadora de serviços com quem trabalho hoje passou pelas mesmas tensões — diminuição do lucro, falta de enfermeiros —, mas as pessoas aqui gostam de vir trabalhar, são tratadas de forma justa e a companhia é recompensada com a criatividade e a produtividade dos funcionários.

A atitude mais tóxica do novo líder era tentar encontrar um ou dois bodes expiatórios, em vez de resolver os problemas. Vi isso acontecer diversas vezes. Um narcisista carismático convence a diretoria de que consegue solucionar tudo. Então, encontra pessoas para culpar em vez de identificar os problemas sistêmicos e capacitar e empoderar aqueles que se encontram nas linhas de frente.

Como você lidou com a situação?

Reconheci que não estava presa em uma armadilha; também havia construído refúgios de apoio e segurança. Não é preciso aceitar tudo sem questionar, e sempre há alguém com quem conversar. No entanto, quando ficou claro que eu precisava ir embora, foi muito triste. Eu gostava do trabalho e das pessoas, mas a nova liderança achava que as pessoas eram dispensáveis.

Há tantas evidências e pesquisas baseadas em empresas reais que comprovam que o investimento em pessoal significa um rendimento de 50 a 60% maior! Esse fato é conhecido. Mesmo assim, existem pessoas de índole ruim, sem nenhuma empatia, liderando algumas organizações. Elas têm problemas sérios de personalidade. Chamamos essas empresas de companhias lideradas por "divas".

Infelizmente, há muitas histórias como essa, e as diretorias parecem não aprender.

Como os membros da diretoria, que precisam tomar essas decisões, podem acertar?
Eles precisam separar as características individuais de problemas sistêmicos e distinguir entre mau comportamento ocasional e padrões nocivos. O poder é capaz de corromper. Algo que amo nos filmes da trilogia *O Senhor dos Anéis* é a verdade de que algumas pessoas conseguem usar melhor o anel do poder. Sem dúvida, há líderes que são intimidadores e têm mau caráter. Necessitamos de sólidos sistemas de valores para não permitir o abuso do poder.

Você mencionou que lida hoje com sérias consequências não premeditadas do movimento em prol da autoestima. Como elas contribuem para os problemas no ambiente de trabalho?
Quando você repete diversas vezes a crianças e jovens que eles são bons a despeito do que fazem, quando lhes dá troféus a todo momento, alguns se tornam narcisistas e culpam os outros pelas próprias falhas. Não lhes ensinamos inteligência emocional da maneira adequada a fim de que consigam controlar a própria raiva e os conflitos internos.

O que você ensina a seus alunos nas aulas de MBA? Quais são as advertências que faz e que ações aconselha que empreendam?
Nosso curso tem o objetivo de ensinar as pessoas a pensarem de maneira diferente, a fim de evitar a armadilha de cair no lugar-comum. Os indivíduos ficam presos ao analisar os problemas sob um único ponto de vista. Isso leva a erros de julgamento, resistência e conclusões precipitadas.

Por exemplo, certo administrador concluiu que um médico tinha o problema de internar pacientes demais, visto que os dados mostravam um índice bem mais alto de internação. O médico, porém, dava plantões frequentes às sextas à noite no pronto-socorro e tinha pacientes com problemas diferentes, que incluíam violência, drogas e álcool. Esse administrador em particular tinha a reputação de fazer ataques verbais de intimidação e analisar os problemas procurando quem era a pessoa que deveria ser culpada.

Ensinamos as pessoas a não caírem no lugar-comum de ver as coisas com base em apenas uma perspectiva. Podemos diminuir o caráter tóxico do ambiente de trabalho ao proporcionar outras ferramentas, e uma delas é analisar os problemas sob diferentes pontos de vista.

Também ensinamos ações e habilidades específicas para se relacionar de maneira eficaz com as pessoas no local de trabalho. Recomendamos a leitura de muitos artigos na área de negócios e outras pesquisas que demonstram como o modo de tratar os funcionários leva a resultados financeiros significativamente superiores.

Minha autora preferida é Jody Gittell, que escreveu *High Performance Healthcare* [Alta performance no atendimento de saúde]. Por exemplo, se os funcionários se comunicam de maneira respeitosa e precisa, dentro de um tempo realista para a realização da tarefa, é mais provável que obtenham melhores resultados em resposta a seus pedidos e ordens. Esse estilo de comunicação está diretamente ligado ao lucro e à manutenção do pessoal. Usamos vários artigos da *Harvard Business Review* para embasar essa pesquisa.

Tratar as pessoas com respeito não é ser "mole"; pelo contrário, é a base para o lucro nos negócios. O presidente do meu departamento diz aos alunos: "Bem-vindos à revolução — a revolução de construir melhores práticas administrativas e melhorar os resultados financeiros".

Durante as entrevistas que fizemos, um número considerável de profissionais bem posicionados no mercado nos contou histórias de pessoas com elevadas credenciais na área da saúde que os humilharam.

Muitos, a despeito de sua capacitação profissional, tratam mal os outros. Alguns são ignorantes, outros são mesquinhos e provavelmente alguns são maus. Nós nos concentramos no grupo dos "ignorantes", para mudar seu modo de se relacionar com os outros. Tentamos diminuir o número de locais de trabalho tóxicos equipando as pessoas com habilidades positivas fundamentadas em práticas comprovadas por pesquisas. Por exemplo, usamos o livro *As cinco linguagens da valorização pessoal no ambiente de trabalho*.

Se eles aplicarem os princípios positivos, mas estiverem em um ambiente de trabalho com um chefe ou colega tóxico, como devem reagir?

Devem analisar como estão sendo afetados. Gosto de usar o teste do "vampiro de energia": eu me sinto sugado depois de interagir com essa pessoa? Fico me sentindo vítima?

Ensinamos nossos alunos a perguntarem: "O que levaria uma pessoa sensata a agir dessa maneira?". Nem sempre o comportamento provém apenas do indivíduo, mas inclui problemas que se originam de questões sistêmicas mais amplas.

Também conversamos muito sobre "libertar os adversários". Primeiro, ajudamos os alunos a identificarem seus aliados e adversários. Então, tentamos ajudá-los a definir quando necessitam "libertar o adversário". Isso pode significar: a) sair da organização; b) reduzir a quantidade de interações com a pessoa; ou c) libertá-la psicologicamente.

Que outro conselho sobre o ambiente de trabalho você dá?

Por diversos motivos, muitas pessoas se sentem presas a culturas de trabalho tóxicas e têm bastante esperança de que conseguirão ficar bem. Mesmo após dez ou doze coisas ruins acontecerem, elas mantêm a esperança, com o sentimento de que "isso não deveria estar acontecendo". É incrível a quantidade de coisas ruins que precisa acontecer antes de alguns irem embora. Em geral, pagam um alto preço por adiarem por tanto tempo.

Com base em minha experiência ao longo dos dez últimos anos, digo a meus alunos: "Nunca se sabe. Talvez você seja feliz no trabalho, mas não presuma que vai durar para sempre. Desenvolva uma rede de contatos agora. Sua empresa pode ser comprada por outra, o dinheiro pode se transformar no valor principal, o emprego pode ser terceirizado em outro país e a cultura pode mudar repentinamente. Prepare seu paraquedas de carreira".

Para muitos, essa é uma revelação.

CAMPOS VERDEJANTES E ÓTIMOS CHEFES

No escuro, você procura fontes de luz. Ao caminhar com dificuldade por um pântano tóxico, visualizar um campo verdejante à frente pode levantar seu espírito e ampliar suas perspectivas.

Antes de começar a escrever este livro, não imaginávamos que existiam tantos chefes tóxicos. Contudo, os funcionários também descreveram vários bons (e alguns excelentes) líderes. É ótimo saber disso!

Se você perguntar às pessoas se elas já tiveram um chefe tóxico, provavelmente ficará surpreso em descobrir quantos passaram por isso. Mas, se perguntar pelos *bons* chefes, é possível que ouça diversas descrições inspiradoras.

Gostamos do que Sue Marsh, diretora de planejamento da empresa Navitas Wealth Advisors, nos contou sobre a confiança que sente em saber que o chefe é uma pessoa íntegra.

Ela disse o seguinte:

> Dois anos depois de formada, descobri que um cliente havia passado dos limites ao deixar de buscar um meio legal para pagar o mínimo possível de impostos, passando a violar abertamente a lei. Bruce, meu chefe, não hesitou, não vacilou, nem piscou; apenas disse com calma: "Se eles não estiverem dispostos a consertar a situação, vamos embora — nem colocamos os pés ali". A reação de Bruce me marcou: "Nem colocamos os pés ali. Ponto final".

Mais tarde, outro chefe, chamado Mike, se posicionou a favor dos novos funcionários. Nós trabalhamos em um ambiente do tipo "dê um jeito de descobrir sozinho". Quem aprendia rápido e não errava era promovido; caso contrário, era demitido. Mike se cansou de ver tantos jovens talentosos falharem e, por isso, criou um manual para facilitar a transição da faculdade para o escritório.

George, meu chefe atual, sempre escolhe a melhor solução para o cliente, mesmo que uma alternativa perfeitamente aceitável pudesse lhe render mais dinheiro. "Esta é a melhor decisão", ele diz. "Deus vai abençoá-la."

Trabalhar ao lado de um chefe íntegro é empoderador. Saber que ele fará a coisa certa, mesmo se isso lhe custar algo, me dá liberdade para fazer o que é correto também, sem medo das consequências — e ainda me permite me gabar do meu ótimo chefe enquanto os outros reclamam!

Achamos animadora a frequência e a profundidade do apreço por bons chefes. Para deixar de lado os suspiros e animar seu espírito, seguem perfis rápidos de seis chefes amados por seus funcionários:

O poder magnético da humildade

O dono/editor

Há décadas ouvimos sobre "CEOs gananciosos". No entanto, muitos CEOs bem-sucedidos são pessoas de fé que se importam profundamente com seus funcionários e com a comunidade. Um escritor de uma empresa de comunicações nos contou sobre seu ótimo chefe, e aqui está uma versão resumida de tudo aquilo que ele estava mais do que disposto a compartilhar:

Todos em nossa empresa podem lhe contar sobre como nosso fundador é humilde. Ele já escreveu diversos *best-sellers* e fez coisas extraordinárias, mas admite seus pontos fracos e dá ouvidos à diretoria, mesmo que não precise fazer isso. Pelos corredores, sempre nos cumprimenta com um sorriso. No escritório, analisa o problema e oferece encorajamento paternal para lidar com as dificuldades. É alguém inclinado a oferecer, e não a receber.

E quanto ao dinheiro? Esse líder é centrado na missão e sente a responsabilidade de usar seu dinheiro para o bem dos outros. Tem um carro minúsculo a fim de poder doar mais, incluindo uma quantidade significativa para as pessoas necessitadas de nossa comunidade. Enquanto nós, membros da equipe, trabalhamos duro para pôr em prática os valores que ele desenvolveu na companhia, sentimos gratidão profunda por podermos fazer parte das conquistas corporativas. Todos nós nos engajamos na missão de ajudar a cumprir as metas elevadas que ele leva tão a sério e demonstra em sua vida.

Liderança com a mão na massa

A supervisora de enfermagem

No capítulo 2, Melanie contou a história de uma colega enfermeira que recebeu uma promoção além de sua competência. Agora ela relata como é trabalhar com uma supervisora bem diferente, que realmente mereceu a promoção:

Anita faz todos da equipe se sentirem valorizados e apreciados. Nossos cirurgiões realizam todo tipo de operações: de procedimentos no dedão do pé e cirurgias de catarata a operações cardíacas e cerebrais. Eles necessitam receber aquilo de que precisam e se irritam com instrumentos que não foram pedidos ou com pacientes que chegam incorretamente preparados — apenas alguns dos inúmeros detalhes de um centro cirúrgico. Quando um deles reclama com Anita, ela não presume que pisamos na bola. Corre atrás dos fatos e nos defende sempre que pode.

Quase todos os médicos são ótimas pessoas com quem trabalhar, mas acontece de a personalidade forte deles eventualmente entrar em conflito com a personalidade forte dos membros da equipe do centro cirúrgico. Aceitamos a autoridade dos cirurgiões, mas às vezes nos chateamos. Anita precisa, ao mesmo tempo, ser diplomática e resolver os problemas para manter tudo funcionando com tranquilidade.

Ela é uma ótima chefe porque não importa se estamos operando a máquina de circulação extracorpórea, limpando o chão ou carregando a seringa de anestesia: sempre está ali na linha de frente conosco, pronta para pegar um pacote de toalhas ou encontrar algo que esteja faltando. É um membro da equipe, sempre com a mão na massa.

Esperando o melhor dos funcionários

O quiropraxista

Vimos o relato de Hannah, que nos contou como atitudes negativas podem se desenvolver até mesmo dentro de um local de trabalho "caloroso e receptivo", e descreveu como lidou com a própria irritação. Ela respeita muito o chefe e nos conta por que o consultório de quiropraxia onde trabalha é um lugar tão agradável:

> O dr. James pode até ser meio silencioso às vezes, mas sempre está alegre. Ele pergunta: "Como vai seu ótimo dia?". Os pacientes sentem que estão em família e o amam. Não passamos por situações de vida e morte, apenas ajudamos as pessoas a se sentirem melhor.
>
> Ele distribui abraços e tem uma personalidade singular. Em virtude disso, eu aviso os novos pacientes de que ele tem o costume de dar nomes engraçados às pessoas, mas sempre com um sorriso bem-humorado. Ele chama a esposa de "minha amada". E se perguntamos: "Como está sua amada hoje?", ele responde: "Bonita que só ela!". Em nosso consultório, há muitas conversas positivas acerca do casamento — o total oposto de alguns lugares onde trabalhei no passado.
>
> O dr. James é uma pessoa humilde. Na sala onde fazemos terapia e mapeamento, ele participa conosco e ajuda. E algo muito importante para mim: ele presume o melhor de seus funcionários. Quando precisa dizer algo difícil de ouvir, completa: "Não perca o sono por causa disso". Quando precisei sair de repente porque meu marido teve uma emergência médica, ele ficou muito preocupado conosco, ao contrário de um ex-chefe que tive. Mas o dr. James também se importa com o dinheiro que entra. Fica de olho nos seguros e no fluxo da papelada. Antes de se formar em quiropraxia, foi motorista de um caminhão de pães; portanto, sabe o que é trabalhar e entende nossas questões diárias.

Inspiração para uma equipe de tecnologia de ponta

A gerente de estratégias de produtos

Formado em engenharia e habilitado na área de comunicações, Roberto conta com uma carreira longa e bem-sucedida na IBM e em outras empresas de tecnologia. Ele faz viagens internacionais para representar a empresa e solucionar problemas. Veja o que diz sobre sua chefe atual:

> Marge admite ser obsessiva/compulsiva, mas nunca reclama. Há muita tensão e conflitos entre as outras mulheres do escritório, mas ela se mantém focada nas tarefas e no desenvolvimento da equipe. Trabalha de maneira colaborativa. Quando fazemos apresentações para clientes juntos, Marge faz mais do que a parte dela, embora nunca exija reconhecimento. Faz questão de compartilhá-lo.
>
> Minha chefe me acha ótimo — e faz todos da equipe se sentirem assim. Ela me inspira a trabalhar com mais afinco do que nunca, e eu amo isso!

Respeito pelo proprietário e pela equipe

O mestre de obras

Ron coloca telhado em casas e consultórios há décadas e já trabalhou para inúmeros chefes. Ele nos conta que o mestre de obras de meia-idade que o supervisiona hoje é o melhor dos melhores. Veja o que Ron nos disse sobre esse chefe:

> George é extremamente focado em terminar o trabalho, mas não nos pressiona. Demonstra forte respeito por nossa equipe de oito integrantes e também pelo proprietário. O mestre de obras anterior fazia comentários absurdos sobre o proprietário e murmurava, mas George não. Seu respeito pelos dois lados cria uma equipe que adora trabalhar em conjunto. Esses homens vêm de uma agência, então raramente são respeitados.
>
> George não fica apenas nos observando trabalhar — ele participa bastante e é o mais habilidoso de todos quando o assunto é lidar com a parafusadeira. Estamos trabalhando agora no telhado de uma grande loja e, por causa das mudanças climáticas, George nos disse: "Trabalhem na hora que quiserem". Isso, sim, é confiança! Semana passada, usei meu soprador térmico para fazer uma selagem e, na próxima segunda-feira, vou verificar com George se está tudo bem em usar esse equipamento. Precisamos nos esforçar para manter a confiança mútua.
>
> Todo o nosso grupo está cheio de sentimentos positivos. Um dos caras caiu do telhado semana passada e se machucou.

O cartão que escrevemos para ele demonstra como nos sentimos — cheios de respeito, valorização e confiança uns nos outros. E George se empenha para tornar isso possível.

Princípios do mundo dos negócios aplicados ao ministério religioso

A segunda carreira de um executivo

Lewis trabalha em um ministério voltado para a juventude que já enfrentou várias lutas com questões financeiras e administrativas. Para apoiá-lo, a liderança contratou um homem na casa dos 40 anos disposto a deixar seu negócio de lado e a trabalhar com o presidente para estabilizar a instituição. Veja como Lewis o descreve:

> Owen não precisava fazer essa mudança — era bem-sucedido nos negócios. Trabalhar recebendo o salário do ministério, tendo de custear os estudos universitários de quatro filhos, deve impor desafios à sua família, mas ele está absolutamente feliz de se tornar um de nós.
>
> Adoro trabalhar para esse cara. Ele é cheio de ideias "fora da caixa" e entende que tudo precisa se bancar ou gerar a renda necessária. Ele me leva junto quando analisa oportunidades de alto nível e, assim que elas dão certo, as entrega em minhas mãos — mas continua conectado. Ele me ajudou a contratar pessoas muito capacitadas, e os projetos que iniciou edificaram nossos ministérios de maneira significativa.
>
> Owen é profundamente espiritual e aberto. Certa vez, contou-nos que algumas vezes se sentiu entediado na igreja, mas se culpou por não ter entrado no templo com espírito de adoração. Que indivíduo mais autêntico!

"DEU CERTO COMIGO"

Como gerentes reais lidam com situações difíceis

O que você está vivenciando agora em seu ambiente de trabalho? É provável que esteja enfrentando pesados desafios e, se alguns deles incluem fumaça tóxica, você pode apreciar *insights* de gerentes que atuaram na linha de combate. Por isso, compartilhamos alguns dos infortúnios mais comuns que encontramos em nossas entrevistas com gerentes solícitos, dispostos a compartilhar o que eles fariam ou fizeram nessas circunstâncias. As sugestões desses gerentes podem ser úteis para ajudá-lo a saber o que fazer caso se encontre em uma das seguintes situações.

Você se sente preso entre um chefe difícil e subordinados diretos

Este é exatamente meu fardo na vida. Todos os dias, tento ser o líder que minha equipe merece. Eu me importo muito com cada um deles nas esferas pessoal e profissional, e isso se demonstra na coesão de nosso grupo de trabalho. Não posso mudar meu chefe, então apenas procuro poupar a equipe do jeito tóxico dele. Quando algo "consegue passar", eles sabem de onde vem e simplesmente lidamos com a situação. Tentamos não deixar que isso nos desanime; e esse tipo de coisa já se tornou algo como uma piada. Quando chamo a atenção de meu chefe para situações difíceis e ofereço soluções, ele raramente responde, mas minha equipe sabe que pelo menos eu tentei. Eles apreciam o esforço porque sabem que estou buscando melhorar as coisas em vez de simplesmente ignorá-las.

Ser mediador e negociador entre meu chefe e os funcionários é desafiador. Quando fico em dúvida, procuro me pautar pelo benefício do funcionário.

Concentro meu foco naquilo que posso controlar e demonstro respeito por meu chefe. Tento liderar pelo exemplo, mediante uma vida coerente.

Meu chefe não é tóxico e, se fosse, eu pediria demissão. O chefe tóxico apenas transmite veneno, e não vale a pena aguentar isso por emprego nenhum.

Você foi traído por um "amigo"

O que mais me ajudou quando meu sócio me traiu foi perceber quanto ele era inseguro. Vi que ele não conseguia se controlar. Tive de continuar trabalhando com ele, mas me fortaleci para não permitir que a situação me consumisse.

Se a traição se resume a algo pequeno e irritante, eu deixo para lá, mas procuro ser cuidadoso no futuro. Caso seja uma traição grave, ela pode revelar falhas de caráter imprevistas. Em uma situação dessas, eu confrontaria o amigo olho no olho e diria o que planejava fazer a respeito do caso.

É importante superar a raiva em relação ao ex-amigo. Escolha a atitude mais nobre e seja simpático, mas não compartilhe nada muito pessoal. Aproveite para aprender com a situação.

Escolha perdoar. Ao mesmo tempo, tome cuidado e restrinja as interações à esfera profissional. Para que a confiança quebrada seja reconstruída, será necessária uma mudança no comportamento do colega.

Um colega assumiu o crédito por suas ideias

Eu ri quando isso aconteceu! De verdade. De repente, o cara começou a contar a todos, inclusive a mim, que ele havia pensado na minha ideia e no produto em si. Às vezes, é absurdo o que acontece no trabalho! Em outra ocasião, durante uma grande reunião, meu chefe deu a outro membro da equipe o crédito por algo que eu havia feito. Eu congelei. Mas, quer saber? Não importa. Eu precisava engolir o sapo e superar.

Hoje em dia, as pessoas roubam os créditos por *e-mail*. É mais fácil enganar quando não se está olhando no olho do outro. Para comprovar isso, basta ler as publicações no Facebook e no Twitter! Quando isso acontece, eu respondo ao *e-mail* com cópia para aqueles que não receberam o crédito e parabenizo a equipe inteira pelas realizações. Cito todos os envolvidos, inclusive o ladrão do crédito. Isso permite que a pessoa que roubou o crédito saiba que você conhece a verdade e ainda reconhece quem de fato merece. Aqueles que ficaram sem receber os créditos já me agradeceram por agir dessa maneira; houve até mesmo um indivíduo que recuou e pediu desculpas aos colegas.

Digo o seguinte a mim mesmo: continue a realizar seu trabalho com excelência e humildade. No fim das contas, a história verdadeira sempre vem à tona.

Seu chefe não lida com conflitos

Uma palavra de cautela em relação a isso: eu achava que meu chefe estava sendo passivo, mas ele só estava sobrecarregado.

Ele não fazia ideia de como lidar com os conflitos do escritório e ficou muito feliz quando conversamos abertamente sobre o assunto. Começamos a trabalhar juntos em busca de soluções.

Ao assumir uma nova função, logo me dei conta de que a tensão dentro do departamento era enorme, mas meu chefe parecia escolher permanecer omisso. Portanto, convoquei uma reunião e disse a meus subordinados que me reuniria com cada um deles para ouvir suas preocupações e sugestões. As orientações incluíram as seguintes: a equipe inteira se reuniria para analisar os problemas e, na medida do possível, decidiria quais seriam as melhores soluções e as poria em prática. Dificuldades com colegas de trabalho seriam expressas durante a etapa de adequação do processo — sem permissão para falar mal dos colegas! Pedi que corressem o risco de confiar em mim, e eles o fizeram. Os resultados foram impressionantes. Repetimos essa estratégia a cada dois ou três anos e desenvolvemos uma equipe forte e produtiva.

Quando tiver um chefe passivo, peça uma reunião individual e comunique a necessidade de liderança para resolver os conflitos. Dê exemplos específicos do que está acontecendo e sugira soluções e estratégias para unir a equipe de trabalho.

Caso seu chefe não goste de conflitos ou não saiba lidar com eles, faça o possível para ajudar. Você está em uma situação difícil, mas tente fazer parte da solução e aceite o fato de que talvez não consiga resolver o problema.

Um grupinho está contaminando o restante

Mais ou menos metade de nossa equipe tinha atitudes negativas que afetavam a todos. Tomei a decisão de ser uma influência positiva no escritório, a despeito do que acontecesse. Prossegui nessa determinação e comecei a me relacionar individualmente com cada colega para mudar o clima no ambiente de trabalho.

O que funciona para mim é o seguinte: avalie o que está acontecendo e quem está dizendo ou fazendo o quê. Pense na possibilidade de fazer ajustes nas tarefas da equipe. Dê força aos membros positivos da equipe. Considere a opção de disciplinar, caso seja necessário.

Você está a ponto de explodir

Já vi muitos funcionários que são reativos em vez de proativos. Você precisa pedir demissão? Encontre uma forma de fazê-lo e siga em frente! Precisa definir limites ou diminuir a carga de trabalho? Seja diplomático, mas assertivo. A vida é curta demais para continuar até o ponto de explodir de fato.

Se você precisa de um novo emprego, separe um tempo todos os dias depois do trabalho para procurar outras oportunidades. Durante o dia de trabalho, aperfeiçoe as habilidades que farão de você um candidato melhor para a próxima posição. Mantenha a calma e a atitude profissional. Não queime pontes nem tome decisões apressadas, pois é mais fácil conseguir um novo emprego quando você ainda está em um. Lide com o estresse praticando exercícios e passando tempo com amigos de confiança.

Planeje e tire férias e fins de semana prolongados. Desenvolva e mantenha um estilo de vida saudável fora do trabalho, fazendo coisas que aprecia. Procure ajuda, mesmo se isso parecer estranho.

Aprenda com os erros. Pense antes de falar. Mantenha seu currículo atualizado.

Seu chefe humilha seus colegas de trabalho

Para mim, isso é passar dos limites. Certa vez, meu chefe humilhou pessoas que trabalhavam para mim e fiquei furioso. Eu o confrontei. Depois de um tempo, acabei saindo da organização por causa das atitudes dele. Nenhum chefe deveria humilhar um funcionário!

Se a humilhação continuar, aborde a questão com seu chefe em particular. Avalie da melhor forma possível se seu chefe é realmente tóxico ou se foi um comportamento fora do comum, provocado por uma circunstância específica. Há chefes que usam a humilhação para dominar. Caso seus colegas de trabalho tenham medo de se posicionar, analise com cuidado as alternativas junto com eles, incluindo a hipótese de falar com alguém do alto escalão. Há força na união. E, se o ruim se transformar no pior, vá embora e siga em frente.

CONCLUSÃO

Sabemos que não demos a você todas as respostas para as situações difíceis que enfrenta no trabalho. Isso seria impossível. Na verdade, não existem respostas fáceis. Viver, trabalhar e cultivar relacionamentos é complicado e difícil.

Mas esperamos que você tenha agora uma melhor compreensão do que torna os ambientes de trabalho tóxicos tão prejudiciais, e que tenha adquirido certa clareza sobre como avaliar sua situação e seus relacionamentos profissionais. (Em geral, a fumaça não vai embora de uma vez; costuma ser um processo que leva tempo e começa depois que você dá os primeiros passos.)

Nós mesmos temos aprendido com o tempo. Por isso, continuamos a criar recursos para ajudar você a descobrir a gravidade (ou não) de seu caso, a investigar se seu chefe é realmente tóxico ou apenas incompetente e a decidir quando "dar um basta" e começar a procurar outro emprego.

Gary Chapman
Paul White
Harold Myra

BIBLIOGRAFIA

CAVANAUGH, Joe. *The Language of Blessing*. Tulsa: Tyndale Momentum, 2013.

CHAPMAN, Gary e WHITE, Paul. *As cinco linguagens da valorização pessoal no ambiente de trabalho*. São Paulo: Mundo Cristão, 2012.

COLLINS, Jim. *Empresas feitas para vencer*. São Paulo: HSM Editora, 2013.

______. *Como as gigantes caem*. Rio de Janeiro: Elsevier, 2010.

COVEY, Stephen. *O poder da confiança*. Rio de Janeiro: Campus, 2008.

DEPREE, Max. *Leadership Jazz*. Londres: Bantam Books, 2008.

DRUCKER, Peter. *The End of Economic Man*. Piscataway: Transactions Publisher, 2008.

GILL, Michael G. *Como a Starbucks salvou minha vida*. Rio de Janeiro: Sextante, 2008.

GITTELL, Jody H. *High Performance Healthcare*. Nova York: McGraw-Hill, 2009.

GROPPEL, Jack. *The Corporate Athlete*. Hoboken: Wiley, 1999.

LOEHR, James. *Stress for Success*. Nova York: Crown Business, 1998.

______. *Toughness Training for Life*. Nova York: Plume, 1994.

Meyer, G. J. *Executive Blues*. Nova York: Franklin Square Press, 2010.

Myra, Harold. *The Leadership Secrets of Billy Graham*. Grand Rapids: Zondervan, 2008.

Peck, Scott. *A trilha menos percorrida*. Rio de Janeiro: Imago, 1994.

Peter, Laurence J. *O princípio de Peter*. Rio de Janeiro: Campus, 2003.

Schultz, Howard. *Em frente! Como a Starbucks lutou por sua vida sem perder a alma*. Rio de Janeiro: Campus, 2011.

Selye, Hans. *Stress: a tensão da vida*. São Paulo: Ibrasa, 1959.

Smith, Fred. *You and Your Network*. Mechanicsburg: Executive Books, 1998.

Stallard, Michael L. *Fired Up or Burned Out: How to Reignite Your Team's Passion, Creativity, and Productivity*. Nashville: Thomas Nelson, 2007.

Sugar, Sandy. *Leadership in the Crucible of Work*. Orlando: Florida Hospital Publishing, 2014.

Terkel, Studs. *Working*. Nova York: The New Press, 1997.

Thoureau, Henry D. *Walden*. Porto Alegre: L&PM, 2010.

Compartilhe suas impressões de leitura escrevendo para:
opiniao-do-leitor@mundocristao.com.br
Acesse nosso *site*: www.mundocristao.com.br

Equipe MC: Daniel Faria
Heda Lopes
Natália Custódio
Diagramação: SWB
Preparação: Luciana Chagas
Revisão: Josemar de Souza Pinto
Gráfica: Assahi
Fonte: Adobe Caslon Pro
Papel: Book Millenium Slim 70g/m² (miolo)
Cartão 250 g/m² (capa)